김은경

출판편집자. 주로 인문교양·문학 분야 책을 내는 출판사에서
일했다. 현재는 프리랜서 편집자로 일하며 남의 글을 보는 일과
내 글을 쓰는 일을 병행하고 있다. 글쓰기·습관을 주제로 강의를
하거나 방송사 뉴스 운행 피디 일도 병행하는 'N잡러'로 살며
습관을 만들고 지키는 일의 중요성을 늘 생각한다. 좋아하는 일을
좀 더 안정적으로 지속하려고, 시간을 더 효율적으로 관리하고
좋은 습관을 늘리려고 노력한다. 지은 책으로 『어쩐지 그 말은 좀
외로웠습니다』가 있다.

페이스북 /sunsetpm4
인스타그램 @sunsetpm4

습관의 말들

단단한 일상을 만드는 소소한 반복을 위하여

김은경 지음

매일이 모여
내가 된다

2019년 봄에 다니던 출판사를 그만두고 프리랜스 편집자 생활을 시작했다. 처음부터 프리랜서로 일해야겠다고 계획한 것은 아니었는데, '좀 놀겠다'는 포부가 '지금 논다'는 소문이 되고, "노느니 이 원고 한번……" 하는 연락을 한두 곳에서 받으며 어느새 외주 편집자가 되어 있었다. 우선은 좀 느긋하게 쉬어 보자고 마음을 편히 가지고 있었는데, 오히려 일거리가 들어오니 희한하게 초조하고 조급해졌다. '영영 일을 못 하게 되는 거 아니야? 일자리도, 일거리도 없으면 어쩌지?' 하는 걱정이 현실적으로 다가와 오는 일을 마다하지 않게 되었다. 그러다 보니 처음 닥친 어려움이 '일정 조율'이었다. 문어발식으로 일하는 것도 아니고 두세 곳의 일만 받아서 하는 편인데도 어쩌다 보면 마감일이나 대기하는 시간이 겹쳐져 엄청나게 바쁘거나 속절없이 한가해지는 일이 되풀이되어 난감했다.

사정이야 그렇다 치고 일은 해야 하니 우선 일의 효율성을 높이기 위해 거실 한 귀퉁이를 사무실이라 생각하고 책꽂이와 책상으로 분위기를 조성했다. 그렇게 그곳에서 하루의 태반을 보내는 본격 '거실 생활자'가 되었다. 원칙도 정했다. 첫째, 아침 9시 거실로 출근해 저녁 6시 전에는 방에 들어가지 않는다. 둘째, 책상에 앉을 때는 단정한 차림새를 갖춘다. 처음의 원칙이 지금까지도 지켜지고 있느냐 하는 문제는 뒤에서 차차 풀어 놓기로 하고, 그런 생활을 결심하면서 나의 화두가 된 것이 '습관'이었다. 사실 그때는 '습관'이라는 구체적인 단어로 생각하지는 않았다. 그저 '아, 이 시간에 내가 왜 이러고 있지?', '매번 이게 뭐야' 했던 행동들이 나중에 생각하니 모두 습관 때문이었다.

그즈음 출장 온 조성웅 대표를 만났는데, 그가 뜻밖에『습관의 말들』기획을 꺼내 놓았다. 엄두가 안 나 일단 샘플 원고를 써 보기로 했던 것이 이렇게까지 일이 진행되었다. 처음 이야기가 나왔을 때만 해도 "전 습관에 관해 깊이 생각해 본 적이 없는데 어떡하죠?" 하며 난감했는데, 샘플 원고를 쓰면서 깨달았다. 내가 그 어느 때보다 습관이 중요한 상황에 처해 있다는 걸.

습관의 사전적 정의는 '어떤 행위를 오랫동안 되풀이하는 과정에서 저절로 익혀진 행동 방식'이다. 되풀이하는 과정에서 저절로 익혀졌다는 말은 되풀이하는 딱 그만큼의 시간을 어떤 행동에 사용했다는 의미다. 하루 스물네 시간 중 얼마만큼이 습관적인 행동으로 채워질까? 이 문제는 언제 자고 일어나든, 언제 일을 시작하고 끝내든 아무도 관여하는 사람 없이 혼자 일하는 사람에게 아주 중요하다는 걸 나는 닥쳐서야 알게 되었다.

또 한 가지 알게 된 것은 '나'라는 사람에 관한 것이다. 내게 어떤 습관이 있고 어떤 습관을 없애고 싶은지, 어떤 습관을 남기고 싶고 어떤 습관을 만들고 싶은지 생각하는 것은 나라는 사람이 어떤 것을 추구하고 꺼리는지를 알아 가는 과정이기도 했다(사실 아직 백 퍼센트 파악한 건 아니지만). 원하는 습관과 없애고 싶은 습관이 있다는 것은 곧 바라는 모습이 있다는 것과 일맥상통한다. 어떤 모습의 나이기를 바라는지 이렇게 집중해서 헤아려 본 적도 없는 것 같다. 결코 허투루 여길 일도 아닌데 말이다.

이제 와 생각하니 이 책의 원고를 쓴 덕분에 갑자기 자유로워진 내 생활이 그나마 좀 덜 흐트러지지 않았나 싶다. 자료 조사 겸 습관과 관련된 많은 책을 읽다 보니 자꾸 죄책감이 들고 자책하게 되면서 일상이 반성의 연속이었다. 그렇게 방종하게 사는 것도 아닌데 뭘 이렇게까지 반성 모드가 되어야 하나 싶어서 어느 순간엔 혼자 억울해하기도 했다.

결과적으로 나도 모르게 어떤 습관을 만들려고, 또 어떤 습관은 없애려고 노력하는 시간이 되었다. 결심하고 실망하고 체념하다 반성하게 되는 습관 형성 과정을 반복하며 성공한 것도 있고 실패한 것도 있다. 유성용 작가는 『다방기행문』에서 "아무래도 인간은 '나'로 태어나서 평생토록 '나' 아닌 다른 것이기를 꿈꾸지만 끝내 '나'로 죽는 우스꽝스러운 존재다"라고 했다. 나는 인간이 평생토록 '나' 아닌 다른 것을 꿈꾸는 것도 좋고, 끝내 '나'로 죽는 우스꽝스러운 존재인 것도 좋다. 이 책에는 좋은 습관을 위한 구체적인 방법이나 나쁜 습관을 없애기 위한 실천법은 없다. 대신, 매일이 모여 만들어지는 '나'라는 사람에 대해 한 번쯤 생각해 보는 계기는 되었으면 좋겠다.

자기만의 루틴을
마련한다는 것은
자신의 일상을
지키고 가꾸겠다는
다짐이다.

김교석, 『아무튼, 계속』(위고, 2017)

다니던 직장을 관두고 프리랜서 생활을 시작했다. 몇 군데 출판사에서 원고를 받아 교정·교열 작업을 하거나 아예 책 한 권을 통째로 받아 책임 편집을 맡거나 그때그때 조건에 맞추어 일한다. 프리랜서 생활을 시작하며 세운 원칙이 있다. 혼자의 작업이지만 출퇴근 시간을 정해 노동 시간을 일정하게 지킨다는 것과 작업 공간인 책상을 둔 거실로 출근(?)을 하면 스스로 정한 퇴근 시간까지는 방에 가서 쉬는 일이 없도록 공간의 경계를 확실히 구분 짓자는 것이다. 약 6개월이 지났을 때 전자의 결심은 대실패로 끝났다. 공간의 경계는 지켜지는데 시간의 경계를 지키기는 너무 어려웠다.

북튜버로 유명한 '겨울서점'의 김겨울 작가는 『유튜브로 책 권하는 법』에서 이런 명언을 남겼다. "프리랜서의 가장 큰 장점은 출근이 없다는 것이고, 가장 큰 단점은 퇴근이 없다는 것입니다." 시쳇말로 '폭풍 공감'한 말이다. 출간 일정에 변동이 생겨도 그 원인이 '내'가 되고 싶지는 않은 마음에 나의 노동 시간은 아침, 점심, 저녁, 새벽은 물론 평일과 주말 구분도 없이 확장되었다. 그러다 보니 시간을 운용하는 내 선택과 결정의 순간 순간에 실망했고, 내 일상을 지키지 못한 것에 또 한 번 실망했다. 이런 실망을 거듭하며 시간에 허덕이다 보면 금방 지칠 것만 같아 시간 운용에 대한 자세를 점검해 보기로 했다. 제시간에, 있어야 할 곳에, 제대로 있고 싶었다. 그런데 그 당연한 것 같은 일을 위해서도 수시로 선택과 결정의 기로에 놓였다. '조금만 더 있다가…… 이것만 보고…… 이것만 하고…….' 생각해 보면 우리 선택도 대개는 비슷한 잣대에 따라 반복되는 습관과 같다. 결정의 순간, 우리의 선택 프로세서는 매번 비슷한 루틴으로 작동한다. 우리의 안타까움과 후회는 그래서 늘 비슷한 색깔을 띤다.

그 순간부터는 한 발짝도
걷지 않아도 되었다.
오래전부터 내 행동에
의식적인 노력을
하지 않아도 되는 이
정원에서는 땅이 대신
걸어 주었기 때문이다.
습관이 날 품에 안고는
아기처럼 침대까지
옮겨다 주었다.

마르셀 프루스트, 『잃어버린 시간을 찾아서』(민음사, 2012)

월·수·금, 일주일에 세 번 가는 배드민턴 강습에 신청했다. 나이를 생각해 뭐라도 해 보자는 친구의 설득에 운동이란 걸 하기로 했는데, 아무래도 너무 생각 없이 종목을 정한 것 같다. 조금만 배우면 둘이서도 즐기며 할 수 있을 것이고, 생각보다 활동량이 많아서 운동도 많이 될 것이라고 기대에 부푼 것까지는 좋았다. 그런데 3주 차쯤 접어드니 진도는 자세와 스텝 배우는 것이 고작인데 그 간단한 스텝이 만만치 않다. 열심히 연습해서 순서대로 동작을 잘 익혔다 싶다가도 거기에 셔틀콕만 더해지면 금방 발이 꼬이며 자세 따로, 공 따로가 되어 우스꽝스러워졌다. "자세를 바르게 하든, 공을 맞히든 하나는 하셔야죠." 강사가 놀리듯 지적하는데 거참, 내 마음이 그 마음이다. 자세가 똑바르든 공을 잘 맞히든 나도 하나는 하고 싶단 말이다.

아직 초보라 한동안은 계속 이런저런 자세와 스텝만 배우는 단계인데, 그래서 지금 가장 간절한 것이 바로 물 흐르듯 자연스러운 발놀림이다. '자연스럽다'란 말은 억지로 꾸밈이 없이, 힘들이거나 애쓰지 아니하고 저절로 된 듯한 것을 말한다. 아이러니한 점은 그 억지로 꾸밈없이, 힘들이거나 애쓰지 않고도 자연스러워 보이려면 정해진 동작을 '억지로, 힘들여 애써' 연습해야 한다는 것이다. 반복하고 또 반복해서 하나의 동작이 다음 동작으로 저절로 이어지도록 말이다. 이 과정은 안타깝게도 누구도 피할 수 없다. 그렇게 수고하고 애써서 우리가 얻는 것은 '아름다움'이다. 머뭇거리지 않고 꼬이지 않고 물 흐르듯 부드러운 동작이 주는 아름다움. 그것은 비단 동작에만 해당하는 것은 아니다.

습관이라는 족쇄는
그냥은 너무 미미해서
끊어 내기에 너무나
강력해진 상태가
되고 나서야 느낄 수
있다.

새뮤얼 존슨

처음에는 별것도 아니었다. 유튜브 창에서 한 편, 두 편 영상을 찾아보기 시작하다가 어느새 언제 업데이트되나 기다리며 검색하는 채널이 생겼고, 정신 차리고 보니 지정해서 구독하는 채널은 물론 그 외의 것에까지 홀려 매일 하루에 한두 시간 이상을 흘려보내는 것이 일상이 되었다. 커피 물이 끓는 시간, 화장실 가는 시간, 휴식 시간, 이동 시간처럼 하루에도 몇 번이나 생기는 자투리 시간에 유튜브를 보는 건 시간을 이중으로 잘 활용해 쓰는 것이라 착각하며 특별히 아깝다고 생각하지도 않았다.

하지만 점점 그 시간이 늘었고 급기야 어느 날은 온종일 전혀 한 일 없이 유튜브 대탐험만 하다가 자정이 가까울 무렵에야 퍼뜩 정신을 차렸다. "나 오늘 뭐 한 거지?" 해일처럼 허탈함과 실망 그리고 자책이 몰려왔다. 더 어이없는 일은 그 뒤에 일어났는데, 그런 깊은 자괴감 뒤에도 하루에 한두 시간씩 꼬박꼬박 유튜브 구독에 시간을 바치고 있다는 거다. 일시적이고 감각적인 욕망에 맘껏 휘둘리고 있는 것인데, 이런 습관은 계획한 일이 아니고 끊임없이 의지를 무너뜨리며 진행되기 때문인지 늘 자기부정감을 동반한다.

저널리스트 찰스 두히그는 자신의 저서 『습관의 힘』에서 "습관은 우리 뇌에 자리를 잡는 순간부터 우리 행동에 영향을 미친다. 우리는 그런 사실을 의식조차 못 하는 경우가 많다"고 말하는데, 그렇게 의식조차 못 하다 어느 순간 그것은 쉬이 끊어 내지도 못할 엄청난 것이 되어 있곤 한다. 그러니 항상 경계할 일이다. 내가 지금 무슨 짓을, 무심결에, 계속하고 있는지.

（앨리스가 한 번
불평한 적도 있는데）
무슨 말을 하든지
가르랑거리는 것은
고양이들이 가진 매우
불편한 습성이었다.
"고양이들이 '예'라고
할 때는 가르랑거리고
'아니요'라고 할 때는
야옹거리면 대화를
할 수가 있을 텐데!"

루이스 캐럴, 『거울 나라의 앨리스』(북폴리오, 2005)

나의 술버릇은 대체로 (자고 있지 않다면) 두 가지 중 하나다. 말을 아주 많이 하거나 아예 안 하거나. 말이 아주 많았던 날은 간혹 부끄럽고 대체로 후회한다. 말을 아예 안 한 날은 역시 그리길 잘했다 싶으면서도 한편으로 아쉽다. 뭔가 마음을 적게 나눈 것 같아서.

그런데 어느 초여름 밤의 부끄러움은 좀 달랐다. 무엇이 다른가 싶어 곰곰 생각에 잠겼는데, 내 태도의 습관 때문이라는 자각이 밀려와 얼굴이 붉어질 정도로 부끄러워졌다. 한 번씩 나는 좀 비겁하다. A는 곧 죽어도 A고, B는 별 의미 없는 문제니 흥미 없고, C라면 난 좀 생각이 다른데? 이런 속내를 어떤 사람에게는 참 보이기 싫다. 그래서 일견 객관적인 양 한 걸음 물러나 적당히 뭉뚱그려 이도 저도 아닌 말을 그럴듯한 생각처럼 포장해 내뱉곤 온갖 것의 가운데서 '적당하게' 있는데, 내 얼굴이 붉어지는 건 그걸 간파당했을 때다.

예전에 모시던 회사 보스게 한번 호되게 야단맞은 적이 있다. "어디서 지금 비겁하게 중립적인 것처럼…… 네 의견이 없잖아!" 가차 없는 호통에 못 견디게 부끄러웠고, 가슴은 뜨끔하다 못해 전기충격이라도 당한 듯 소스라치게 놀랐다. 간파당했을 때는 납죽 엎드린다. 크게 반성했고, 그 뒤로 노력했다. 내 의견을 말하는 것이 어떤 자세여야 하는지, 진짜 책임감 있는 자세란 어떤 것인지 거듭 생각하면서. 그런데도 못난 천성은 남아서 살다 보면 이래도 글쎄, 저래도 글쎄, 하며 또 모른 척 적당해지다 어떤 초여름 밤에는 들키기도 하는 것이다. 그러면 당연히 상대도 입을 닫고 한 걸음 발을 떼어 거리를 둔다. 그런 날은 좀 부끄럽고 쓸쓸하다.

"음! 이 수프가 딱 좋네."
골디락스는 하나도
남기지 않고
다 먹었어요.

로버트 사우스, 『골디락스와 곰 세 마리』(애플비, 2006)

골디락스는 영국의 시인이자 동화 작가인 로버트 사우스가 쓴 전래동화 『골디락스와 곰 세 마리』에 등장하는 금발 소녀의 이름이다. 숲에서 길을 잃고 헤매던 골디락스는 아무도 없는 오두막에 들어가 식탁에 차려 놓은 세 그릇의 수프를 발견한다. 막 끓인 듯 뜨거운 수프, 식어서 차가운 수프, 뜨겁지도 차갑지도 않은 적당히 따뜻한 수프 중에서 먹기에 적당한 따뜻한 수프를 주인의 허락 없이 먹어 버린다. 수프를 먹은 뒤에는 딱 적당한 의자를 골라 앉고, 피곤에 지쳐 딱 적당한 탄력이 있는 침대를 골라 낮잠에 빠진다. 이 동화에서 유래해 완벽하게 딱 적당한 이상적인 상태를 말하는 용어인 '골디락스'Goldilocks는 경제, 마케팅, 의학, 천문학 등 여러 분야에서 사용되는 말이다.

우연히 보게 된 유튜브 채널이 있는데, '다정한 살림 이야기'라는 부제로 콘텐츠가 올라온다. 사실 '살림'이라는 주제가 주 관심 분야도 아니고 대단한 노하우나 정보를 얻을 수 있는 것도 아닌데 눈길을 끄는 것은 그 콘텐츠가 넘치지도 부족하지도 않은 딱 적당한 일상을 보여 주기 때문이다. 물론 여기에서 딱 적당하다고 말하는 일상은 현실 세계에서의 딱 적당한 일상이 아니라 우리가 머릿속으로 꿈꾸는 딱 적당한 일상이다. 매일매일 반복되어 습관이 된 소소한 행동들이 만드는 깔끔하고 정제된 풍경은 꽤 매력적이다. 먹고 나면 설거지는 즉시 하고, 행주는 사용하고 나면 빨아서 탈탈 털어 걸어 두고, 도마는 식초와 베이킹파우더로 한 번씩 소독해 잘 말려 주고, 청소는 시간을 정해 거르지 않으면 내내 쾌적한 환경에서 생활할 수 있다. 이런 일들은 습관이 되면 아무것도 아닌 듯하지만 하려고 마음먹는 순간 미션이 된다.

나만의 루틴이 있으면
좋은 점이 많습니다.
사소한 일에 고민하지
않고 순서대로 아침을
시작할 수 있어요.

유튜버 해그린달

006

눈 뜨면 자리에서 5분 스트레칭하고 일어나기, 아침 공복에 물 한 잔 마시기, 비타민 챙겨 먹기. 이 세 가지는 벌써 일 년째 내 아침 습관이 되기를 바라는 희망 사항이다. 저게 뭐 어려운 일이라고 희망 사항씩이나 되냐고 코웃음 치는 분도 있을 테다. 장담하건대 혹시 저 세 가지 중 한 가지라도 마음이 내켜 '내일부터 일어날 때 스트레칭해야겠다', '눈 뜨면 공복에 물부터 꼭 마셔야지', '건강을 생각할 나이니 비타민 좀 챙겨 먹자' 하고 '지금' 결심하는 분이 있다면 결코 쉽지 않은 일이란 걸 3일만 지나면 알게 될 것이다.

이렇게 일상 행동 중에서 습관화하고 싶은 행동은 편리하고 간단해야 실행하기도 쉽다고 여러 습관 전문가들은 말한다. 실행이 가능하도록 편리하게 만드는 방법으로 환경을 조성하는 방법이 있다. 원하는 행동을 유발하는 신호가 두드러질 수 있는 환경을 만드는 것인데, 자기 전에 침대 바로 옆에 요가 매트를 깔아 둔다거나, 잠자리 옆이나 식탁 위, 그 밖의 지나는 동선 여기저기에 물잔을 채워 놔둔다거나, 그 물잔 바로 옆에 비타민을 미리 같이 놔둔다거나 하는 식의 장치를 말한다. 막연히 어떻게 해야지, 하고 결심만 했을 때보다 확실히 지속되는 날이 길어졌다. 습관 전문가 그레첸 루빈은 자신의 저서 『나는 오늘부터 달라지기로 결심했다』에서 "원하는 행동은 쉽게 만들고 원치 않는 행동은 어렵게 만들 필요가 있다. 이것은 습관의 성공을 가능케 하는 비밀 중 하나다"라고 말한다. 원하는 행동이 용이한 환경을 만들면 유리한 것처럼, 원치 않는 행동이나 고치고 싶은 습관은 그것이 불편하도록 장벽을 만들어야 한다는 것이다. 말하자면 '불편 전략'strategy of inconvenience을 구사하는 것이다. 내 '사천성' 게임 아이콘이 휴대전화 첫 번째 바탕화면에서 세 번째 화면의 이름도 모호한 폴더 안으로 옮겨진 이유다.

"뭐 하러 메뉴를
보는지 모르겠네……
늘 같은 것만
주문하는데."

찰스 M. 슐츠, 『스누피, 나도 내가 참 좋은걸』(RHK, 2019)

007

가수 요조의 인터뷰에서 평소 습관이 있느냐는 물음에 "외출 준비를 하고 안 나가기"라고 답한 것을 읽은 적이 있다. 씻고 화장하고 옷까지 차려입고는 그제야 정신을 차린다는 거다. 그러고는 이왕 이렇게 된 거 어딜 갈까, 뭘 할까 생각하다가 그냥 낮잠을 자거나 저녁이 되어 다시 화장을 지우고 잠옷으로 갈아입는단다. 무슨 그런 습관이 있나 의아했었는데, 프리랜서로 일하다 보니 일어나면 습관처럼 씻고 옷 차려입는 것이 꼭 가지고 싶은 습관이 되었다. 나갈 곳도 없지만 외출 준비를 하듯 씻고 차려입으면 일하는 자세가 달라진다. 책상에 앉을 때 기분부터 몹시 다르다. 눈 뜨자마자 대충 눈곱만 떼고 잠옷을 입은 채로 책상에 앉아 허겁지겁 일을 시작하는 날과는 천지 차이다. 너무 당연한 것 아닌가 싶겠지만, 혼자 일하다 보면 눈곱만 떼고 책상에 앉는 것이 더 당연한 일이 되는 법이다.

여유로움과 늘어짐은 한 끗 차이다. 그래서 거실의 작업 공간과 방이라는 휴식 공간을 확실하게 구분 짓자는 프리랜서 생활의 첫 결심에 부수적인 결심을 하나 더 덧붙였다. 작업복을 정하자는 것. 매일 다른 옷으로 갈아입을 필요까지는 없으니 유니폼을 하나 정해 두면 좋을 것 같았다. 검은색 티셔츠와 카키색 면바지, 흰색 면 티셔츠와 베이지색 면바지를 나의 고정 작업복으로 정했다. 외출 준비를 하듯 세수를 하고 간단히 머리라도 빗고 작업복을 차려입고 책상에 앉는 기분은 마치 힘쓸 일 앞에서 목장갑을 끼고는 손뼉을 짝 마주치며 기합을 넣거나, 앞으로 힘을 합칠 상대와 힘껏 악수하는 느낌이다. 출발선에 선 긴장과 잘될 것 같다는 기대와 시작에 힘을 주는 효과가 있다. 그것이 작업복이든 커피 한 잔이든 그 무엇이든 매일 반복되는 일상의 일에 '시~작!' 하는 신호를 만들면 마음가짐을 환기하는 데 도움이 된다.

습관은 제2의 천성으로
제1의 천성을 파괴한다.

파스칼

"결국 자세와 태도의 문제예요."

후배와 안타까운 직장 동료 이야기를 나누다 결론처럼 나온 말이다. 사회생활을 하다 보면 일을 잘했냐 못했냐 하는 결과보다 과정에서의 자세와 태도가 더 중요할 때가 있다. 그런 자세와 태도는 위기 상황에서 좀 더 적나라하게 드러나므로 대개는 돌발 사태에서 들키기 쉽다.

뜻밖에 일어난 불상사에 대처하는 사람들의 태도는 저마다 조금씩 다르다. 대개는 '경악 → 원인 유추 → 해결 방안 강구'의 수순으로 반응이 일어난다. 아, 정신을 차리고 나면 하나가 덧붙는다. 머리를 싸매며 '내가 왜 그랬을까' 하는 자책. 그런데 어떤 사람들은 조금 다르다. '경악 → 현실 부정 → 자기변명 → 해결 방안 강구(어찌 됐건 해결은 해야 하니까)'의 수순이다. 그러고는 '어떻게 이런 일이 일어났는지 모르겠어요!' 도무지 일어날 수 없는 일이 일어나 '나는 어리둥절할 뿐'이라는 자세를 취한다. 사실 별 소용없는 제스처인 것이, 대개는 그 일이 제 업무가 아니더라도 같은 공간에서 일하는 사람이라면 짐작하기 마련이기 때문이다. 상세히는 몰라도 대강 어느 단계쯤에서 발생한 문제일 것 같은데, '당신이 제일 잘 알 것 같은데 뭐가 희한하다는 거지?' 하는 마음이 들면서도 모른 척 고개를 돌리는 것은 동료의 무안함을 이해해 주려는 노력이다. 그 노력에도 불구하고 결국 자세와 태도가 문제라고 눈살을 찌푸리게 되는 순간은 현실 부정과 자기변명이 반복되거나 지나친 동의를 구할 때이다. (사고는 언제 어디서나 일어나므로) 어디에서고 쉽게 볼 수 있는 이런 상황을 가만 보면, 어떤 일에 대처하는 혹은 맞닥뜨리는 우리의 자세와 태도도 습관처럼 반복되는 경향이 있음을 알게 된다. 어떤 자세와 태도가 되풀이되면 그것이 곧 그 사람의 정체성이 된다.

습관이라고 하는 것은
나쁜 행동에 대한
우리들의 감각을 둔하게
만드는 괴물인데,
한편으로는 착한
행동에도 아름답게
옷을 입혀 몸에 딱 맞게
해주는 상냥한 천사이다.

윌리엄 셰익스피어

○○9

거의 일 년 만에 미용실에 갔다. 머리가 많이 상했다며 머리를 감으면 반드시 말려야 한다거나 최소한 일주일에 두세 번은 트리트먼트를 해야 한다거나 하는 조언을 한참 쏟아 놓던 헤어디자이너가 마지막으로 깊은 한숨을 쉬며 말했다. "습관의 문제이지, 스타일 문제는 아닌 것 같아요." 그러니까, 건강하게 찰랑찰랑하는 머리카락 본연의 성질은 생활 습관만 제대로 들여도 관리가 가능하고, 그것만 제대로 하면 어떤 스타일이든 상관없이 당신 머리 위에서 보기 좋게 윤이 날 것이다, 하는 것이 그분 말의 요지다.

아니 그러게, 그 아무것도 아닌 소소한 행동이 내 습관이었다면 좋았을 텐데. 아무 생각 없이, 큰 수고 없이 무의식적으로 한 행동인데 생각지도 않은 좋은 결과를 불러오는 습관 말이다. 머리를 감으면 바로 말리고, 밥을 먹고 나면 바로 설거지를 하고, 사용하고 난 물건은 반드시 제자리에 두는 별스럽지 않은 일들이 좋은 머릿결과 쾌적한 환경과 정리 정돈된 일상이라는 결과로 이어진다. 미국의 사회심리학자 웬디 우드는 『해빗』이라는 자신의 저서에서 "우리는 거의 매일 같은 장소에서 약 43퍼센트의 일상 행동을 반복하는 경향이 있다"는 연구 결과를 내놓았다. 우리 일상 행동의 절반 정도는 매뉴얼화되어서 반복되는 환경이나 조건에서 별 생각(노력) 없이 무의식적으로 이루어진다는 것이다. 그 무의식적으로 이루어지는 행동이 어떤 것들로 채워지느냐에 따라 우리는 매일 작은 성취감 또는 작은 패배감을 맛본다.

건강에도 좋을 뿐만
아니라 거리를 가득
메운 사람들의 성격과
직업을 마음껏 추측할 수
있어서 밤 산책은 어느새
내게 습관이 되어
버렸다. 대낮의 눈부심과
분주함은 나처럼
빈둥거리기를 좋아하는
사람과는 어울리지
않는다.

찰스 디킨스, 『오래된 골동품 상점』(B612북스, 2015)

매일 만 보 걷기 운동을 한다는 모 선배의 말을 듣고 일주일에 하루 정도는 함께하고 싶다는 생각에 수요일로 딱 못을 박아 약속을 했다. 수요일마다 함께 만 보를 걷자고 '수요만보클럽'으로 이름도 그럴듯하게 지었다. 1시간 40분 정도 걸으면 얼추 만 보의 목표가 채워지는데, 산책하듯 워낙 천천히 걸어서 만 보가 아니라 만보漫步(한가롭게 슬슬 걷는 걸음)에 더 가까웠지만 마음만은 그렇게 뿌듯할 수가 없었다. 무언가 대단한 운동을 한 것처럼 성취감만은 제대로였다. 걷는 길은 밤 산이 이어지는 한적한 길도 있고, 뜬금없이 운치 있는 약 300미터 길이의 터널 길도 있고, 무엇보다 반환점에 달짝지근하고 쫄깃한 맛이 끝내 주는 호떡집도 있어서 코스로 완벽했다. 가끔은 길을 달리해 물결이 우아해지는 밤의 강물을 따라 걷기도 했고, 혼자라면 조금 부담스럽지만 둘이서는 충분히 운치까지 즐길 수 있는 오래된 동네의 인적 드문 골목길도 걸었다. 이제는 그곳을 떠나왔고, 선배도 족저근막염이라는 현실 장벽에 부딪혀 회원 두 명의 수요만보클럽은 지금 중단된 상태다. 그런데 몸에 박인 인인지, 마음에 박인 인인지, 지금도 어느 밤에는 느릿느릿 유유한 걸음으로 밤 산책에 나서고 싶어진다.

유혹을 벗어나는
유일한 방법은 유혹에
굴복하는 거야.

오스카 와일드, 『도리언 그레이의 초상』(열린책들, 2010)

011

방송 기간 2005년 3월~2013년 5월, 시즌 1~9, 총 방송 횟수 201회. 미국 NBC TV 시리즈 『오피스』The Office는 '던더 미플린'이라는 가상의 제지회사를 배경으로 직장인의 일상을 그린 드라마다. 약간의 다큐멘터리 느낌을 더한 새로운 형식의 드라마였는데, 8년 넘게 방영하고 종영한 이 드라마에 나는 한참 뒤늦게 흠뻑 빠졌었다. 소위 말하는 '병맛'의 극치를 보여 주는 이 드라마는 정말이지 미친 것 같은 등장인물이 말도 안 되는 대사와 에피소드를 쏟아 놓는데, 희한한 것은 회를 거듭할수록 어느새 그 지질하고 뻔뻔하고 속물에 멍청이 같은 캐릭터들이 사랑스럽고 인간적이고 애틋해 보인다는 것이다(이렇게 쓰면서도 믿기지 않지만). 이 희한한 미드를 추천받으며 '안 보면 안 봤지, 200편에 달하는 에피소드가 대기하고 있는 드라마를?' 하며 고개를 저었다. 결과적으로, 나는 빠졌다. 엄청나게 중독성 강한 그 드라마에 주말은 물론 평일 밤샘까지 이어 가며 헤어나지 못한다는 한탄에 시리즈 입문으로 이끈 후배마저 고개를 절레절레했다. "아니 무슨, 내일이 없는 사람처럼 그러세요?"

'포기형'과 '절제형' 인간이 있다. 미국의 작가 그레첸 루빈이 정의한 것인데, 포기형의 사람은 욕구를 포기해 자제력을 발휘할 일을 아예 원천 봉쇄한다. 그야말로 모 아니면 도인 종류의 습관을 잘 지킨다. 절제형의 사람은 욕구를 적당히 충족시켜 주어야 결과가 좋은 유형이다. 그러니 포기형의 사람이 유혹에서 살아남는 법은 절제력을 발휘할 일을 아예 만들지 않는 것이고, 절제형의 사람이 유혹에서 살아남는 법은 적당히 당근을 주어 욕구를 충족시켜 주는 것이다. 나는 포기형의 인간이다. 포기형의 장점은 그게 어떤 욕구든 '아예 하지 않는 것'은 어렵지 않다는 것이다. 자신의 유형에 따라 습관의 스타일을 정하면 한결 편하다. 포기형의 사람이 『오피스』와 같은 불가항력의 사고를 만나면 늘 파국이다.

생각이 바뀌면 태도가
바뀌고, 태도가 바뀌면
행동이 바뀌고, 행동이
바뀌면 습관이 바뀌고,
습관이 바뀌면 인격이
바뀌고, 인격이 바뀌면
운명이 바뀐다.

윌리엄 제임스

012

러시아 작가 안톤 체호프는 술에 찌들어 매일 폭력을 휘두르는 아버지와 나약한 어머니, 골칫덩이 형제들 속에서 불우한 어린 시절을 보냈다. 열여섯 살에는 그런 가족과도 헤어져 혼자 돈한 푼 없이 고향에 남아 학업을 마쳐야 하는 처지였는데 살 곳이 없어 남의 방 한쪽 구석에서 프라이버시라고는 없는 생활을 하며 스스로 생계를 이어 나갔다. 처음에는 비참함과 수치심에 괴로웠지만 어느 순간 희한하게 그 위기의 상황에서 '해방된 기분'을 느낀다. 가정교사 일로 돈을 벌며 남의 방 한구석이라도 매일 자신이 지내는 곳을 정갈하게 유지했고, 학업에 심취했으며, 아이들을 가르치는 일에서도 조금씩 자부심을 갖는다.

로버트 그린은 『인간 본성의 법칙』에서 "체호프가 스스로 궁극의 자유를 창조할 수 있음을 깨달았던 것"은 미국의 심리학자 에이브러햄 매슬로가 말한 '절정 체험'peak experience을 한 것이라고 분석한다. 절정 체험은 "고된 일상에서 벗어나 인생에는 자신이 놓치고 있는 더 크고 숭고한 무언가가 있다는 것을 깨닫는 순간"을 말한다. 아마도 그는 (자신의 영역 밖인) 가족의 문제로 둘러싸여 뒤죽박죽이던 환경에서 벗어나 온전히 자신이 상황을 바꿀 수 있다는 궁극의 자유를 직감적으로 느꼈던 것이 아닐까?

오롯이 혼자가 된다는 것. 모든 관계와 단절되어 완벽히 자유로워질 때 인간은 진정한 자기 자신이 된다. '무엇이든 될 수 있다'라는 완벽한 자유 아래 무엇이 될 것인지 선택한다. 그 선택의 근간이 되는 것은 그 사람의 태도이고, 일상의 성실한 태도가 어떤 선택의 밑바탕이 되는 것은 놀랄 일이 아니다. 일상의 태도가 성실해질 때 습관이 된다. 그리고 어떤 태도를 선택하는가도 습관처럼 반복된다. 나는 체호프가 방의 한쪽 구석을 늘 정갈히 했다는 것이 인상 깊다. 그 정갈한 아침마다 그는 매일 달라지고 스스로 소중해졌을 것이다.

인간은 눈앞의 습관에
젖어 근본 원리를
잊어버리기 쉬우니
조심하라는 거야.

나쓰메 소세키, 『나는 고양이로소이다』(현암사, 2013)

013

사고다. 사고가 났다. 감리 간 디자이너가 보내 준 사진을 보는 순간에도 문제를 발견하지 못했다. 걱정했던 파란색이 잘 구현된 것 같아 아름답다며 호들갑만 떨었다. 그런데 막상 제작이 다 되어 건네받은 책의 표지에 있어야 할 디자인 요소 하나가 아예 보이지 않았다.

책을 만들 때, 모든 작업이 마무리되어 인쇄소에 데이터를 넘기면 인쇄소 출력실에서 리파인 파일이란 것을 보내 준다. 그야말로 최종의 인쇄용 파일인데, 이 파일이 오케이 되면 바로 인쇄 작업 준비로 들어가는 것이어서 행여 오류가 있는지 살필 수 있는 마지막 기회라 눈에 불을 켜고 본다. 그리고 그 뒤는 그야말로 내 손을 떠난 것이므로 무사히 책이 나올 때까지 그저 기다리는 수밖에 없다. 그 최종의 리파인 파일을 볼 때도 아무 문제가 없었는데 인쇄되어 나온 결과물에서 감쪽같이 이미지 하나가 사라진 것은 정말 처음 보는 형태의 사고였다. 추상적인 이미지로 디자인된 표지이기도 하고, 또 얼마나 깔끔히 사라졌는지 처음 보는 사람은 다행히(?) 이상함을 느끼지 않아서 그냥 진행하기로 했지만 한 열흘 이불킥 할 일이었다.

이렇게 우리가 어쩌다 저지르는 실수에 몇 날 며칠 이불킥 하는 것은 심리학적으로 보면 수백만 년에 걸친 우리 뇌의 습관 때문이라고 한다. 신경심리학자 릭 핸슨은 자신의 저서 『행복 뇌 접속』에서 인간의 뇌는 생존을 위해 부정적인 성향을 진화시켜 왔다고 말한다. 생존에는 낙관하는 것보다는 최악의 상황을 가정하는 것이 더 유리하기 때문이다. 그 때문에 우리는 오늘 스무 가지 일을 해내고 단 한 가지 실수를 했더라도 잠들기 직전까지 줄곧 그 한 가지 실수만 떠올리는 것이다. 우리 뇌의 부정적인 성향을 긍정적인 성향으로 바꾸는 것은 행복과 회복 탄력성 같은 내면의 힘으로 가능하다.

술 담배와 마찬가지로
교제도 습관이다. 습관이
붙기 전까진 꺼려지고
귀찮지만 일단 습관을
들이고 나면 그것 없인
생활이 불가능할 정도로
일상에 필요한 것이
돼 버린다.

하기와라 사쿠타로, 「나의 고독은 습관입니다」(『슬픈 인간』,
봄날의책, 2017)

매일매일 전화 통화하는 후배가 있다. 아니, 이제는 후배라기 보다 나의 오랜 친구라고 해도 되겠다. 어쩌면 나의 서울살이에서 최악이 될 뻔한 시간을 '그때 참 재미있었는데' 하고 기억하는 것은 그런 암울했던 날에도 둘이서 죽이 맞아 재미나다며 일을 꾸몄고, 실제로 매일 재미났기 때문이다. 평소 세상 과묵한 친구이고 나도 수다쟁이라고 생각한 적은 없는데 둘이서는 죽이 잘 맞아 퇴근만 하면 만나서 일상을 나누다가 거리가 멀어지니 전화 통화로 태세가 전환되었다. "연애를 해도 이렇게는 안 하겠다"라며 긴 통화 시간에 서로 기함한 적이 한두 번이 아니다. 희한하게도 이야기는 나누면 나눌수록 점점 더 불어난다. 매일매일 만나는 친구와는 매일매일 만나도 할 이야기가 그득하지만, 아주 오랜만에 만나는 친구와는 반가움과는 별개로 대화가 끊어지곤 하지 않나. 왜 이 친구와는 나누면 나눌수록 점점 더 이야기가 불어날까 궁금했는데, 한 주간지 기사에서 답을 발견했다.

> 어떤 사람의 정신세계를 가장 투명하게 드러내는 것은 '어떤 농담을 하는가(무엇을 웃긴다고 여기는가)'이고, 그다음이 '어떻게 칭찬하는가(무엇을 미덕이라 여기는가)'이다.
> ─『시사IN』, 「농담을 보면 지능이 보인다」(신윤영, 『싱글즈』 피처디렉터)

이 말은 내가 어떤 사람을 좋아하는가를 생각해 보게 한다. 나는 그 친구가 무엇을 웃긴다고 여기고 무엇을 미덕이라 여기는지 알 것 같고, 모르긴 몰라도 열에 아홉은 같은 지점에서 웃고 같은 지점에서 감동할 것 같다. 그 또한 그럴 것이다. 그것은 삶의 가치를 어디에 두는가, 하는 문제와 잇닿는다.

기분 전환을 위한 일이,
자기 자신을 더 싫어지게
만들어서는 안 된다.

사사키 후미오, 『나는 습관을 조금 바꾸기로 했다』
(쌤앤파커스, 2019)

"그걸 안 할 명분을 내가 찾아 주고 있는 거예요. 내가 한다고
해 놓고. 나 원 참!"

최근 책 한 권을 필사해야겠다는 결심을 했다가 지키지 못
하고 있다는 모 출판사 대표님의 한탄이다. 누가 억지로 등 떠
민 것도 아니고 나름 생각한 바가 있어 시작한 필사였는데, 어
느 순간 그날의 몫을 하지 않고 건너뛸 명분을 자기가 자기에게
찾아 주려고 머리까지 굴려 가며 애쓰고 있더라는 말에 "으하
하핫!" 박장대소할 수밖에 없었다. "아니 뭘 머리까지 써서……
하하하! 그런데 정말 필사 그거 저도 시도하고 있는데, 계속하
는 게 어렵긴 어렵더라고요."

하루 두 쪽 필사, 하루 두 장 책 읽기, 1일 1그림……. 하루
중 한때 따로 시간을 내어 기분 전환을 하겠다고 궁리한 작고
소소한 습관들이다. 우선은 재미있겠다고 생각했으니 시작한
일이고, 크게 부담스러운 일도 아니니 성공률이 꽤 높을 거라
예상했지만, 생각보다 만만치 않다. 하루 두 쪽 필사가 어느 날
은 반 쪽으로 그치고, 그러다 건너뛰게 되고, 하루 두 장 책 읽
기도, 1일 1그림도 자꾸 건너뛴다. 건너뛰는 것은 그렇다 치고
쌓이기만 하는 자괴감은 어쩔 것인가. 결심한 일을 건너뛰니 으
레 후회와 자책으로 이어지고, 그러다 스스로에 대한 실망으로
이어진다. 재미로 시작한 일인데 어쩌다 이 지경이 되었는지.

사람은 참 요지경인 존재다. 아무도 강요하지 않았는데 혼
자 목표를 세우고는 그 목표를 피할 명분을 마련하느라 궁리한
다. 황당하게 여겨질 수도 있는데, '아무도 몰라도 내가 안다'라
는 사실을 끝끝내 외면하지 못하는 못난 발버둥이라고 생각하
면 그마저도 좀 짠하다.

요즘 세상에서
공부하려면 디지털
방해라는 험난한
장애물을 넘어야 한다.

양승진, 『일단, 오늘 1시간만 공부해봅시다』(메멘토, 2019)

016

해야 할 일이 있는 사람에게 가장 어려운 일 중 하나가 아마 집중력 유지 아닐까? 놀 땐 놀고 일할 땐 일하는, 자기 관리가 철저한 사람이면 얼마나 좋을까마는 불행히 나는 그런 사람이 아니다. 발등에 불이 떨어지지 않는 이상 왜 이렇게 읽을거리, 들을거리, 볼거리가 많은지. 『코리아 헤럴드』 양승진 기자의 말처럼 "요즘 세상에서 공부하려면 '디지털 방해'digital distraction라는 험난한 장애물을 넘어야 한다." 페이스북, 인스타그램, 유튜브, 넷플릭스……. 진득하니 앉는 데까지는 성공해도 앉아서 빠질 샛길이 이리 다양하니 집중하는 습관을 갖기란 쉽지 않다.

오늘은 팟캐스트 '책읽아웃'에 출연한 김연수 작가의 이야기를 듣느라 또 샛길로 빠졌다. 대화 주제가 글 쓰는 방식이었는데 한동안 글을 쓸 때 타이머를 이용했다고 이야기했다. 25분 동안 원고지 2매를 빠른 속도로 채우고 5분을 쉬는 거다. 이런 걸 '포모도로 기법'이라고 하는데, 1980년대 말에 프란체스코 시릴로라는 이탈리아의 대학생이 고안한 시간 관리법이다. '토마토'라는 뜻의 이탈리아어 '포모도로'pomodoro라는 말이 붙은 것은 프란체스코가 토마토 모양의 주방 타이머를 이용해 시간을 맞추었던 것에 기인한다. 양승진 기자의 『일단, 오늘 1시간만 공부해봅시다』라는 책을 편집하며 이 방식을 알게 되었고, 꽤 흥미를 끄는 기법이라 바로 시도해 보았다. 첫 시도는 실패! 나의 비루한 집중력은 25분을 견디지 못했다. 충격이었지만 재빨리 주제 파악을 하고 15분 작업, 5분 휴식으로 규칙을 수정해 성공할 수 있었다. 이후 필요에 따라 점점 시간을 늘려서 꽤 많은 도움을 받았고, 이제는 생각이 자꾸 딴 길로 새는 날에는 습관적으로 타이머를 맞춘다. 목표의 결과가 단시간에 정해지고, 마치 미션에 도전한 것처럼 성공하면 성취감을 느낄 수 있어서 꽤 효과가 좋다.

습관은 최상의 하인이
될 수도 있고, 최악의
주인이 될 수도 있다.

너새니얼 에먼스

017

매일 스마트폰을 잡는 것으로 하루를 시작했다. 알람에 눈을 뜨고 즐겨 듣는 팟캐스트를 켠 다음 페이스북이나 포털사이트의 뉴스를 차례로 섭렵했다. 그러다 이 눈 뜨고 스마트폰부터 보는 습관이 너무 싫어서 작심하고 고쳐 보기로 했다.

아주 작은 습관으로 무언가를 이루어 냈다는 사람들의 체험이나 그런 주제를 다룬 책들이 하나같이 말하는 공통의 메시지가 있다. 모든 변화는 하루 팔굽혀펴기 한 번, 하루 두 페이지 책 읽기, 하루 두세 줄 글쓰기 같은 작은 일에서 시작되었다는 것. 처음 계획은 간단하고 미미한 것일수록 좋다. 그래서 나도 아주 간단하고 소소하게 시작했다. 눈 뜨자마자 책 두 페이지 읽기. 알람은 자명종으로 맞추고, 읽을 책은 왠지 손이 가지 않아 제쳐 두었던 버지니아 울프의 『올랜도』로 정했다.

수 세기에 걸친 다양한 분야의 영국 예술가들의 작품과 그 속에 담긴 날씨를 다룬 『예술가들이 사랑한 날씨』라는 책을 편집하며 버지니아 울프의 『올랜도』를 읽어 두지 않았던 것이 내내 안타까웠는데, 이참에 그때의 안타까움을 해소하고 싶기도 했다. 처음에는 좀체 읽기 어려웠던 철학책으로 정할까도 생각했지만, 아무래도 재미가 있어야 '습관으로 자리 잡기'가 성공할 것 같아 소설을 선택했다. 한 달 반 정도 걸려 『올랜도』를 완독하고, 버지니아 울프가 나오면 자연스레 함께 떠올리게 되는 제인 오스틴이 생각나서 『노생거 수도원』도 읽었다. 이어서 찰스 디킨스로 넘어가려던 중 영국을 벗어나 잠시 쉬어 가는 기분으로 『뉴욕은 교열 중』을 집어 들었다.

원하던 습관이 자리를 잡고 있어 뿌듯하지만, 명쾌하게 "성공!"을 외칠 수는 없다. '눈 뜨면 책' 습관만 생겼으면 좋을 것을, '책 읽기는 좋은 습관이니까' 하며 잠자리에서 뭉그적거리는 습관으로 진화(?)하고 있으니 말이다. 이 습관은 또 무엇으로 고치나.

다행히도 아름다운
소년이 있었어. 불행히도
소년은 끔찍한 병에
걸렸어. 다행히도
사랑과 기쁨이란 게
있어. 불행히도 고통과
불행이라는 것도 있지.
다행히도 아직 이야기는
끝나지 않았어.

데이비드 셰프, 『뷰티풀 보이』(시공사, 2019)

018

중독은 치명적인 습관이다. 데이비드 셰프의 『뷰티풀 보이』는 마약 중독에 빠진 아들과 그 아들을 끝까지 포기하지 않은 아버지의 이야기로, 프리랜스 저널리스트인 데이비드 셰프 자신의 실화이기도 하다. 책 표지의 홍보 문구는 그 과정을 '기적의 여정'이라 칭하지만, 사실 너무 지독하고 암울한 시간이었다. 중독자의 가족들이 각자의 아픔을 털어놓고 서로 격려하는 모임이 등장하는데, 모임 구호가 인상적이다. "당신은 이것을 유발하지 않았고, 통제하지 못하며, 치료하지 못합니다." 중독에 빠진 자식, 배우자, 형제자매 등을 둔 이들은 대부분 원인을 자신에게서 찾으려고 한다. 왜, 어디서부터 잘못되었나를 생각하며, 만약에 내가 현명하게 대처했다면, 내가 좀 더 관심을 가졌다면, 하는 식의 가정을 무한 반복하면서. 모임은 당신이 원인이 아니니 자기 비하도 말고, 있는 그대로를 받아들이고 인정하라고 말한다. 냉정한 현실 인식에서 출발해야 한다고 말이다.

중독이라는 치명적인 습관은 인간을 한없이 나약하게 만든다. '치명적인'이라는 말은 이미 자신을 지킬 수 없음을 뜻한다. 폭주하는 자신을 인지하면서도 영원히 원래로 돌아갈 수 없다는 모순과 절망감은, 참 아뜩하다.

『뷰티풀 보이』는 2019년 동명의 영화로도 제작되었다. 아주 좋아하는 두 배우 스티브 카렐과 티모시 샬라메가 주인공이라 '밤을 새운 다음 날 비 오는 아침'이라는 극한 조건에도 갈등 없이 달려 나가 영화를 봤다. 조건 없는 사랑으로 인간이 인간을 구원했다는 메시지의 감동보다는 아직 아무것도 장담할 수 없을 것이며 언제든 깨질 수 있다는 불안감이 더 크게 다가왔다. 그나저나 반짝반짝 아름답던 것이 사그라지는 걸 지켜보는 건 참 안달 나게 애달픈 일이다.

잡기장이 책상에
하나, 가방에나 포켓에
하나, 서너 개 된다.
전차에서나 길에서나
소설의 한 단어, 한 구절,
한 사건의 일부분이
될 만한 것이면 모두
적어 둔다. 사진도
소설에 나올 만한
풍경이나 인물이면
오려 둔다.

이태준, 『무서록』(범우사, 1999)

019

"매일매일 기록해요. 일정이나 그날의 일을 간단히. 모두 기록하고 그래도 칸이 남으면 그날 읽은 책의 구절로 채워요."

'소소책방' 책방지기인 조경국 작가의 다이어리 활용법이다. 매년 연초에 다이어리를 어느 제품으로 정할까 무척이나 고심하는 그의 모습을 몇 번 보았는데, 그 고민은 순전히 몰스킨 데일리 포켓 다이어리가 너무 비싸서 시작된 것이다. 크기도 지질紙質도 두께도 모두 적당한 몰스킨이 가격까지 적당했으면 그의 고민도 없을 것이고, 내 상상 속 그의 수년 치 다이어리도 일정한 크기로 가지런히 서 있을 것인데 말이다(굳이 그게 가지런해야 할 이유는 없지만).

누군가의 습관이 부러울 때 부러움과 함께 좌절감이라는 감정까지 밀려올 때가 있다. 좌절이라는 어울리지 않는 무거운 단어까지 들먹이는 건 '시간' 때문이다. '쌓인 시간'이 이룩한 것은 어떤 노력으로도 한 번에 극복할 수 없는 것이라 깊은 좌절감을 준다. 그럴 때는 깨끗이 단념하고 부러워하고 말거나 좀 까마득해도 시간의 역사를 인정하고 새로운 시도를 궁리하는 수밖에 도리가 없다.

성실한 메모 습관은 글을 쓰려는 사람에게는 필수이다. 단지 기록일 뿐이라도 그 모든 것이 글감의 밑거름이 된다. 상허 이태준 선생이 책상에, 가방에, 주머니에, 여기저기에 여러 권 잡기장을 두어 소설의 일부분이 될 만한 것을 쉼 없이 적어 두고 자료가 될 사진을 오린 것은 몹시 성실한 글쓰기 행위와 다를 바 없다.

업무가 지시된 다음에
일을 질질 끌어야 창의력을
높이는 데 도움이 된다.
빈둥거리면서도 마음
한구석에선 아이디어를
만들기 시작하는 것이다.

애덤 그랜트, TED 강연 '독창적인 사색가의 놀라운 습관들' 중

O2O

청탁받은 원고를 넘기기로 한 전날, 아침부터 자정까지 온종일 책상에 앉아 있어도 딱히 글감을 찾지 못할 때는 머릿속이 온통 데드라인이라는 단어로 꽉 찬다. deadline. 더 이상 선을 넘으면 죽음이야.

출판 편집 일에도 자주 데드라인이 찾아온다. 교정교열 시간이나 제목 정하는 시간이 길어지면 디자이너와 사장님의 눈치가 보이고, 제작 날짜가 미뤄지면 영업팀과 사장님의 눈치가 보이고, 보도자료나 홍보 카피가 늦어지면 영업팀과 디자이너와 사장님의 눈치가 보인다. 매번 압박을 받지만, 초조함에 애꿎은 손톱까지 물어뜯게 하는 이 데드라인이 때로는 사람의 전의를 불태우고 불가능을 가능으로 바꾸는 마법을 부리기도 한다.

"사람을 가장 고무하는 것은 데드라인이다."

광고음악 작곡가 스티브 카르멘의 말이다. 마감 있는 일을 하는 사람이라면 고개를 끄덕일 것이다. 정해진 시간에 일을 '반드시' 끝내야 한다는 압박감은 스트레스이기도 하지만, 도저히 안 될 것 같던 일을 가능하게 하는 원동력이 되기도 한다. 정말 마감 목전에서 어떻게든 일을 마무리한 경험들이 꽤 있을 것이다. '발등에 불이 활활 탈 때까지 미루고 또 미루면 일이란 어떻게든 되게 되어 있다'는 식의 막무가내 방식을 주장하는 것이 아니다. 오히려 데드라인을 앞두고 한껏 긴장한 뇌 속에서 폭죽이 터지는 마법의 순간을 경험하려면 최소한 다음과 같은 전제 조건은 선행되어야 한다. 조직심리학자 애덤 그랜트는 TED 강연을 통해 "일을 빨리 시작하되 천천히 끝내는 것이 창의력을 높인다"고 말한 바 있다. 일단 일을 얼른 '시작'해야 하고, 겉으로는 빈둥빈둥해도 머릿속으로는 계속 되뇌고 있어야 한다는 것이다. 그래야 빈둥빈둥의 틈 어딘가에서 아이디어가 튀어나온다. 거기에 데드라인이라는 최강의 고무 장치가 더해질 때 비로소 '마법'이 실현된다.

53

기록하고 잊어라.
잊을 수 있는 기쁨을
만끽하면서. 항상 머리를
창의적으로 쓰는 사람이
성공한다. 그 비결은
바로 메모 습관에 있다.

사카토 켄지, 『메모의 기술』(해바라기, 2003)

아름다운 수첩을 보았다. 빼곡하게 이어 나간 성실한 메모와 감각적인 여백이 섞인 필체까지 정말이지 아름다웠다. 수첩의 주인은 여든을 바라보는 노신사다. 선생님은 같은 브랜드의 포켓용 수첩을 몇십 년째 사용하고 있어 댁에 그간 사용한 수첩이 쫙 줄지어 있다고 하셨다. 겉모양은 선생님 특유의 글씨체처럼 자유분방한 듯하면서도 전체로는 조화로웠고 한 페이지, 한 페이지가 디자인 작업물이라고 해도 과언이 아닐 정도로 감각적이었다. 이야기를 나누다가도 기억해 둘 것이 있으면 "아, 기다려" 하시곤 수첩을 꺼내셨다. 아무렇게나 쓱쓱 쓰셔도 참 멋스러웠다.

사카토 켄지는 『메모의 기술』이라는 책에서 "복잡한 머리를 비워야 창의적 아이디어가 솟아나는 경험"을 할 수 있다고 말한다. 외부에서 수시로 들어오는 정보를 바로바로 메모하는 습관을 들이면 기억해야 할 것들은 수첩 위에 정리되고 머리의 빈 자리에 팔딱팔딱한 신선한 생각이 차오른다는 것이다. 새로 메모한 내용에서 또 다른 아이디어가 샘솟기도 한다.

선생님께 이런저런 고민을 꺼내 놓으면 예의 그 수첩에 끍적끍적 뭔가를 끄적이시다 새로운 아이디어를 덧붙여 주셨다. 그러고는 "음, 아주 좋다. 해 봐라" 하시며 담백한 응원을 해 주셨다. 그런데 이제는 뇌경색이 와서 손놀림이 예전 같지 않으시다. 쓰시던 수첩에 떨리는 손으로 애써 몇 자를 써 보이시다 "이래서 이젠 안 써" 체념이 담긴 말씀을 펜과 함께 툭 던지셨다.

그날 밤 이후, 나는
어디에나 연필을 가지고
다니기 시작했다. 외출할
때는 반드시 주머니에
연필이 들어 있는지
확인하는 것이 습관이
되었다. 그 연필로
뭔가를 하겠다는 특별한
계획이 있었던 것은
아니지만, 늘 준비를
갖추어 놓고 싶었다.

폴 오스터, 『왜 쓰는가?』(열린책들, 2005)

022

여덟 살 소년은 인생에서 야구가 가장 중요했다. 난생처음 뉴욕 자이언츠 팀과 밀워키 브루어스 팀의 경기를 본 날, 경기가 끝나고 우연히 그날 경기를 펼쳤던 스타 야구선수 윌리 메이스와 맞닥뜨린다. 소년은 용기를 내어 그 위대한 선수에게 사인을 부탁한다. "물론이지 꼬마야. 해 주고말고. 연필 있니?"

하필 소년도, 소년의 부모도 주변의 누구도 연필을 가진 사람이 없어 안타깝게도 사인을 받지 못한다. 그날 이후 연필을 가지고 다니는 습관이 몸에 뱄다는 소년은 나중에 그때의 일을 떠올리며 말한다. "주머니에 연필이 들어 있으면 언젠가는 그 연필을 쓰고 싶은 유혹에 사로잡힐 가능성이 크다. 내 아이들에게 즐겨 말하듯, 나는 그렇게 해서 작가가 되었다." 소설가 폴 오스터의 에피소드다.

연필이든 펜이든 정말 필기구를 항시 가지고 다니다 보면 쓰고 싶다는 유혹까지 생길까? 어떤 글을 쓰고 싶다는 유혹에 사로잡힐지는 모르겠지만, 필기구를 좋아해서 늘 지니고 다니는 사람들은 분명 틈틈이 무언가를 긁적이거나 메모하는 것 같다. 확실히 그렇게 무언가를 긁적이는 사람들이 유독 자주 하는 말이 있다. "좋은 생각이 떠올랐는데……", "갑자기 이런 생각이 드는데……."

평상시에 어떤 소지품을 챙기는가(챙기려고 하는가)에 따라 그 사람이 이어 나가는 생각의 길과 풍경이 달라진다.

난 아직도 부사를
습관적으로 쓴다.
초고에서는 쓰고 싶은
대로 쓰고 퇴고할 땐
부사부터 솎아 낸다.
우선, 대개, 다소,
어김없이, 틀림없이,
가까스로, 완벽하게,
그러니까, 넌지시,
무심코, 시종일관,
부디, 거의, 때로……
이런 것들이 매번 끝도
없이 나온다.

은유, 『쓰기의 말들』(유유, 2017)

023

다른 사람과 이야기를 나눌 때, 혹은 글을 쓸 때 버릇처럼 쓰는 부사가 있다. '이를테면', '그러니까' 같은 말이다. '그럼에도 불구하고'라는 관용구도 자주 쓴다. 필요하지도 않은데 이런 말을 습관처럼 쓴 것이 의식될 때면 속으로 생각한다. '아, 또!'

반면에 '문득', '어쨌건', '여하튼' 같은 말은 흐리멍덩하게 느껴져 특히 안 쓰고 싶은 부사들이다. 치밀하지 않다는 자백 같고, 뭉개지는 느낌이 싫다. 하지만 불행히도 나는 이런 멍청이 부사들도 자주 쓴다.

글쓰기에 관한 많은 책에서 거의 공통으로 하는 조언 중 하나가 '부사를 경계하라'이다. 하지만 작심하고 경계해도 쉽지 않다. 방금도 '사실 쉽지 않다'라고 쓰고 싶은 걸 초인적으로 참았다. 스티븐 킹은 『유혹하는 글쓰기』에서 자신이 부사를 쓰는 이유를 "부사를 써 주지 않으면 독자들이 제대로 이해하지 못할까 봐 걱정하기 때문"이라며 그런 "근심이야말로 형편없는 산문의 근원"이라고 말한다.

은유 작가의 『쓰기의 말들』에서도 "글쓰기 초보자에게는 부사가 독이다"라고 할 만큼 부사는 글쓰기에서 불필요한 수식이 넘쳐 나게 할 위험이 있어 경계하는 품사로 정의되는데, 나는 그런 이유 말고도 꺼려질 때가 있다. 버릇처럼 쓰는 부사에서 내가 드러나는 것 같을 때다. '사실', '실제', '진짜로'와 같은 부사는 희한하게 말에 솔직함을 더해 주는 것이 아니라 솔직함을 강요하는 것 같다. '이를테면', '그러니까' 같은 부사는 지금 말하고자 하는 메시지가 나조차 명확하지 않아 중언부언하고 있나 의심스럽게 만든다. '어쨌건', '여하튼' 같은 부사가 되풀이되면 논리적이지 않은 나의 엉성함을 뭉개려는 것 같아 비겁해지는 느낌이 들 때가 있다. 뚜렷한 메시지는 간결하다.

모든 습관이 자기 구역을
가지고 있는 것이다.

제임스 클리어, 『아주 작은 습관의 힘』(비즈니스북스, 2019)

미국 최고의 자기계발 전문가로 불리는 제임스 클리어가 처음 사업을 시작했을 때의 일이다. 종종 소파나 주방 식탁에서 일을 했더니 업무 시간과 개인 시간이 명확히 구분되지 않고 어느 순간 밥 먹고, 쉬고, 이메일을 보내는 그 모든 일이 같은 장소에서 일어나고 있더란다. 나도 그랬다. 프리랜서로 일을 시작하고 어느 정도 주변이 정리되었다고 생각할 무렵, 책상에서 일하고, 책상에서 쉬고, 책상에서 밥을 먹고 있는 내 모습을 발견했다. 정신이 번쩍 들었다. '뭐야, 엉망진창이잖아!'

제임스는 모든 습관은 자기 구역을 가지고 있다는 인상적인 주장을 했는데, 어떤 행동의 방식이 행해지는 데 유리한 장소가 있고, 습관은 "예측 가능한 환경에서 자라난다"는 것이다. 그래서 내가 원하는 습관을 생각해 보고 그 습관에 구역을 정해 환경을 조성해 주기로 했다. 잠은 침대에서 자고 일은 책상에서, 하는 식의 두루뭉술한 구역 정하기가 아니라, 이를테면 '아침에 눈 뜨면 책 두 장 읽기'는 (그냥) 침대에서, '낮 2시의 파워냅'(20분 정도의 짧고 깊은 낮잠)은 조금 불편해도 책상 의자에서, 하는 식의 구역 정하기다. 아침에 눈 뜨면 스마트폰부터 보던 습관을 책 두 장 읽기 습관으로 바꾸기 위해서는 잠자리에서 일어나 책상에 자리를 잡고 책을 읽는 것보다 일어나자마자 손을 뻗어 잠자리에서 읽는 것이 덜 거추장스럽다. 오후의 기력 회복을 위한 낮 2시의 파워냅은 조금 불편해도 침대보다 책상 의자에서 자는 것이 20분 내외의 시간을 지키는 데 용이하다. 쉬운 행동은 습관으로 굳히기에 유리하다. 이제는 원하는 습관이 있다면 어떤 장소(환경)에서 그 행동을 하는 것이 제일 편하고 쉬운지 생각한다. 뭐, 여전히 안 되는 것은 안 되지만.

인생이라는 영화는 슬프고
고통스러운 장면에서는
느린 재생 버튼을
누른 것처럼 흘러가고,
기쁘고 즐거운 장면은
총알같이 지나간다.
그나마 니클라스는
그처럼 기이한 모순에
집착하는 것이 아무
소용 없는 일임을 알고
있었다. 곤잘레스 씨도
입버릇처럼 "어쩔 수
없는 일이지"라고 말하지
않던가? 인생이란
그런 것이다.

클라우스 미코쉬, 『곤잘레스 씨의 인생 정원』(인디고, 2019)

025

대통령 담화에서 "꿈같은 희망 됐다"라는 말씀이 참 아팠던 날이다. 휘청이는 마음에 문득 꽃 한 송이가 고파서 동네 꽃집에 갔다. 눈에 들어오는 흰색 꽃 한 송이를 이천 원 주고 샀다. 이름은 미처 묻지 못했다. 돌아와 병에 꽂아 놓고 가만히 바라보니 세상일이 그리 대단하지 않게 여겨져 퍽 좋았다. 그날 이후로 저녁 산책길에 그 꽃집 앞을 지나며 천 원짜리 몇 장 손에 있으면 들어가 꽃 한 송이 찾게 된다. 포장도 않고 덜렁 들고 가니 꽃집 주인장은 천 원에도 주고 이천 원에도 주고 어느 땐 사천 원을 주면 장미니 솔체꽃이니 모아 미니 꽃다발을 주기도 한다. 아예 습관이 된 요즘의 소소한 즐거움이다. 속절없이 마음이 휘청일 때 한 송이 꽃으로 마음을 달래는 습관은 꽤 효과가 좋다.

마음이 아플 때, 슬플 때 혹은 즐거울 때를 겪는 사소한 태도, 입버릇처럼 되풀이하는 사소한 말은 그 사람의 삶의 습관이다. 그 사소한 태도와 버릇들은 삶을 대하는 그 사람의 자세를 나타내는 것이기도 하다. 아픔과 슬픔, 애도를 달랠 때, 기쁨과 즐거움과 충만함을 누릴 때 무엇으로 달래고 누릴까. 세상사를 겪기 위한 당신의 소소한 습관이 부디 향기롭고 가볍기를 바란다.

사람은 결코―다시
태어나도―다른 삶을
살지 않아요. 흔히
같은 실수를 해서는
안 된다고들 합니다.
그러나 사람은 같은
실수밖에 하지 않아요.
다시는 하지 않겠다고
맹세하는 것만
되풀이하는 거예요.

사노 요코·최정호, 『친애하는 미스터 최』(남해의봄날, 2019)

살면서 이런저런 선택을 한다. 그런 선택과 결정 뒤엔 어김없이 결과가 따라붙고, 그 결과에 따라 환호하기도 하고 후회하기도 하고 적당히 안심하기도 하며 산다. 선택의 결과가 좋으면 의외로 빨리 잊힌다. 더 좋은 목표를 바라보기 때문이다. 좋지 않은 결과로 이어졌을 때가 오히려 오래 남는다. 왜 그랬을까, 다시 그때로 돌아갈 수 있다면…… 입술을 지그시 감쳐물며 곱씹는다.

그런데 그런 선택과 결정의 양상도 습관처럼 반복되는 것 같다. 사람은 좀체 변하지 않고 그 사람을 구성하는 성분도 한결같으니, 어떤 선택의 갈림길 앞에 선 자세와 태도도 동일 선상에서 이어지는 것이(일관성을 갖는 것이) 당연할지도 모르겠다. 문제는 그래서 매번 같은 실수를 되풀이하고, 비슷한 문제를 껴안고, 그리하여 '매번 똑같은 모양으로 산다'는 거다.

"후회? 그런데 다시 그때로 돌아가도 나는 또 그럴 것 같아. 그래서 후회는 안 해." 이런 말을 한 적이 있다. 뭐 하러 쓸데없이 뒤돌아봐 하는 쿨함인 줄 알았는데, 어차피 되돌릴 수 없어서 가졌던 단념의 마음이었나 문득 되돌아본다. "사람은 같은 실수밖에 하지 않아요"라는 사노 요코의 말은 참 뜨끔하고 따끔하다.

습관은 먹이를 주면
용처럼 자란다.

리첼 E. 굿리치, 『슬레잉 드래곤즈』Slaying Dragons(2017)

027

월세도 제대로 내지 못하는 가난한 피자 배달부 존 살바토레 폰타넬리는 그나마 일하던 피자가게에서도 해고되어 절망에 빠진다. 그런 그에게 네 명의 변호사가 찾아온다. 조상이 물려준 재산이 있다며. "좋아요, 얼마죠?" "8만 달러가 넘습니다." "방금 8만이라고 하셨나요?" 세상에! 존은 정신이 멍해질 만큼의 행운에 기뻐한다. 이어서 변호사들은 자칫 존에게 심장마비라도 올까 봐 거액의 상속액에 적응하도록 4백만 달러, 20억 달러로 점차 금액을 높여 말하다 마침내 1조 달러라는 어마어마한 거액의 유산을 받게 되었다는 사실을 알린다.

　독일의 소설가 안드레아스 에쉬바흐의 『1조 달러』는 한 가문의 조상이 별로 높지도 않은 이자율로 500년 동안 예금해 놓은 300플로린 금화(현 가치로 약 1만 달러)에 복리에 복리의 이자가 붙어 자손에게 1조 달러가 상속된다는 아이디어에서 시작된다. 이자와 이자의 이자가 쌓여서 만들어지는 거액의 돈에 관한 이야기가 짜릿한데, 이 마법 같은 복리의 효과는 습관에서도 마찬가지로 적용된다. 아침에 일어나 침대 정리하기, 하루에 영어 단어 하나 외우기, 하루 5분 운동하기 같은 아무것도 아닌 듯 보이는 작은 습관은 당장에는 큰 변화가 없는 것 같지만 꾸준히 실행해 기간을 채우면 복리의 효과로 큰 성과가 되어 돌아온다. 제임스 클리어는 말한다. "습관은 복리이다." 매일 1퍼센트의 습관을 행하면 복리의 효과로 일 년이면 37배 성장한다는 것이다. 이런 마법의 적금 같은 이야기 앞에 깊은 한숨이 동반되는 이유는 대개 그 복리를 경험하기 전에 포기하기 때문이다. 대략 80퍼센트 정도 실행될 때까지도 습관의 효과는 별 극적인 성과를 보이지 않아 도중에 포기하는 사람이 대다수다. 한 번쯤은 이율 든든한 적금을 도중에 깨지 않고 복리 이자까지 톡톡히 얹은 목돈으로 받아 보고 싶다.

비가 오면 우산을
쓰고 추워지면 외투를
입는 것처럼 나는
기분에 문제가 생기면
가볍게 걸어 본다.

하정우, 『걷는 사람, 하정우』(문학동네, 2018)

028

걷는다. 발을 내디디고 팔을 자연스레 흔들며 한시도 쉬지 않고 숨을 쉬며 앞으로 걷도록 집중해야겠지만, 다행히 그 모든 행위를 아무 노력과 의지 없이 집중하지 않고도 할 수 있도록 우리 몸은 이미 걷는 행위에 익숙해 있다. 무의식이 아무 의도 없이 다리를 앞으로 뻗고 팔을 앞뒤로 흔드는 동안 의식의 한 부분은 늘 그렇듯 생각의 늪으로 향한다. 생각의 늪으로 가는 길은 예상보다 여러 갈래여서 가다가는 샛길로 빠지고 가다가는 또 샛길로 빠지고, 여기저기 수풀을 헤집어 놓고 머릿속에 몇 겹의 길을 켜켜이 쌓는다. 그러며 원래의 길로 되돌아가고자 집요한 노력을 기울이다 보면 주변의 소음은 어느덧 서서히 멀어진다. 그렇게 생겨난 고요는 사방팔방 뻗어 가는 머릿속 생각들이 한 겹 두 겹 겹겹이 쳐 놓은 막이 되어 어떤 소음에도 영향 받지 않는다. 그 고요는 한적한 주택가 골목길뿐만 아니라 자동차 소리 시끄러운 도로 옆에서도 유지될 만큼 단단하다. 그 고요는 생각이 저 스스로 속 시끄러운 모양새로 변모할 때만 깨진다.

밤마다 젖가슴 위에 책을
세운 채 잠드는 바람에
직각 모양의 붉은 자국이
가실 날이 없었으니,
레옹조차도 나를
한심하게 여겼으리라.

카롤린 봉그랑, 『밑줄 긋는 남자』(열린책들, 2017)

029

소설 『밑줄 긋는 남자』의 여주인공, 콩스탕스의 젖가슴 위에 가실 날 없는 "직각 모양의 붉은 자국"을 상상하며 나는 왼쪽 어깨에 남을 직각의 붉은 자국을 떠올리며 슬며시 웃는다. 누워서 책을 읽을 때, 오른쪽 페이지를 읽을 때는 왼쪽 어깨에 책 왼쪽 모서리를 받쳐서 읽고, 왼쪽 페이지를 읽을 때는 오른쪽 뺨에 책 오른쪽을 잡은 엄지손가락 쪽 손등을 받쳐서 읽는 버릇이 있다. 책이 양장본일 때 편한 자세다. 무선 제본의 책일 때는 또 다른 익숙한 자세가 있다. 왼쪽 어깨에 직각의 붉은 자국이 남을 걱정은 한 적이 없으나, 오른쪽 뺨에 둥글고 붉은 자국이 도장처럼 남는 건 아닌가 하는 걱정은 가끔 한다.

반복되는 동작은 우리 몸에 증거로 새겨진다. 목을 쑥 내밀고 컴퓨터 화면을 보는 습관이 굳어지면 굽은 어깨와 거북목이 증거로 남고, 의자에 앉을 때 다리를 꼬거나 구부정하게 앉는 습관은 틀어진 골반을 증거로 남긴다. 연필을 힘주어 꼭 쥐는 습관은 가운뎃손가락 끝 첫 번째 마디에 도톰하게 박인 동그란 굳은살로 남는다.

거듭해 곱씹는 생각이나 그리움도 우리 몸 어딘가에서 어떤 자국으로 남겨질 것이다. 소중히 간직해 애써 남긴 것도 있을 테고, 억지로 파내려다 되레 호된 흉터가 된 것도 있을 테고, 알금삼삼하게 남은 것도 있을 테다. 좋든 나쁘든 모든 반복되는 동작은 우리 몸에 증거로 새겨진다.

루틴 씨는 아침마다 하는
스웨덴식 10분 체조를
끝내고 평소처럼 샤워를
하는 중에 어떤 깨달음
같은 것을 얻었다. '뭐가
잘못된 건지 알았어!'
루틴 씨는 머리에 샴푸를
가득 바르고 눈을 꼭
감은 채 혼잣말을 했다.
'문제는 내 삶이 너무
지루하다는 거야.'

다비드 넬로, 『루틴 씨』(김영사on, 2015)

스웨덴 고틀란드섬의 작은 도시 비스뷔. 루틴 씨는 그곳에서 호텔 직원으로 일하며 아름답고 다정한 아내와 좀처럼 말썽도 부리지 않는 차분한 아홉 살 쌍둥이 아들들과 함께 살고 있다. 신혼여행 때를 제외하고는 섬을 떠난 적이 없다. 취미로 화석을 수집하고 아코디언을 연주하며, 무엇이든 계획적으로 차근차근 해 나가는 것을 좋아한다. 그러던 어느 날 "이유도 모른 채 갑자기 무언가가 삶을 슬프게 만들고 있다"고 느끼고 "도미노의 끝없는 조각들"처럼 매일 똑같이 이어지는 일상에 변화를 주기 위해 조금은 엉뚱하게 느껴지는 '금기어 도전'을 시작한다.

스페인 작가 다비드 넬로의 『루틴 씨』는 지루한 일상에 변화를 주려고 '언어적 금기'를 정해 엉뚱하고도 독특한 도전을 한 루틴 씨의 이야기를 다룬 소설이다. 그가 모색하는 변화는 섬을 벗어난다든가 하는 인생의 급격한 행로 수정이 아니라 그야말로 아주 작은 일상의 사소한 변화다. 그는 매일 아침에 일어나 스웨덴식 10분 체조를 하고 커피를 내리고 식구들의 간단한 식사를 준비하고 출근은 조금 일찍 하고 매번 같은 메뉴를 주문해 같은 점심을 먹고 저녁엔 화석을 감상하거나 아코디언을 연주하며 시간을 보낸다. 이런 일상이 어느 날 문득 지루하게 느껴졌지만, 사실 그것은 자신이 이뤄 낸 가장 편하고 좋은 방식이었다.

깨닫지 못할 정도로 '평범하게' 흘러가는 시간을 문득 알아차리는 순간이 있다. 그런 날은 그 무난함 때문에 평가 절하되는 수모를 겪기도 한다. 하지만 루틴 씨에게 그랬듯 그 일상은 우리가 이룬 가장 편안하고 좋은 방식이다. 커피부터 마시고 토스트를 먹는 게 아니라 "커피를 마시기 전에 늘 버터와 꿀을 바른 토스트 한 쪽을 먹은 후, 바나나 한 개를" 먹는 데는 자신만의 이유가 있는 것이다.

영혼은 나쁜 습관만
쉽게 드는 게 아니라
좋은 습관도 쉽게 드는
법이다. 일단 좋은
습관이 들기 시작한
순간부터 삶은 아름다운
말과 행동이 꽃피기
시작한다.

케이트 더글라스 위긴, 『서니브룩 농장의 레베카』
(가교, 2009)

031

흔히들 말한다. 직장 동료나 친구, 연인 사이에 생긴 스트레스는 이야기로 푼다고, 이야기 중에 제일 재미있는 건 남의 뒷담화라고. 나도 그렇다. 속상하고 짜증 나고 화나는 일을 누군가와 함께 실컷 흉보며 느끼는 카타르시스가 있다.

아주 단순한 일일 경우에는 그런 뒷담화가 효과가 있다. 누군가와 함께 분통 터트리고 하하호호 웃고 나면 별 꺼림칙함 없이 잊는다. 대개 뒷담화의 대상에게도 더 감정이 남지 않고, 함께 뒷담화한 친구도 자연스레 잊는다. 반면 감정이 첨예하고 지속될 일은 그렇지 않다. 제삼자와는 아예 나누지 않는 것이 낫다. 감정이 첨예하다는 것은 내 신경이 곤두섰다는 의미고, 그건 십중팔구 상대에게만 원인이 있는 것은 아니라는 뜻이다. 그런 일을 누군가와 나누다 보면 자기방어 시스템이 가동해 내 입장에 유리하게 이야기하게 된다. 아닌 척하며 말하겠지만 대개는 그렇다. 그러고 나면 나의 정당하지 않음에 의기소침해지고 씁쓸해지고, 급기야 자기혐오로도 이어질 수 있다.

나이 어린 친구가 있었다. 그는 30대 초반의 이른 나이에 세상을 떠났다. 길어야 채 십 년이 안 되는 세월을 함께했지만 그 친구와는 신기할 만큼 남의 험담을 나눈 적이 없었다. 그렇다고 대화의 양이 적었나 생각하면 그것도 아니다. 그럼 그 친구의 주위엔 유독 좋기만 한 사람만 있었을까? 세상에 그런 일은 없다. 그럼에도 나누었던 이야기에 슬픔이나 그늘, 아픔은 있었어도 원망이나 시기, 헐뜯음은 없어서 그렇게 그 시간과 관계가 맑게 기억되나 싶다. 그녀의 마지막이 말할 수 없이 황망했어도 이제는 그 애달팠던 모습보다 맑았던 말과 행동이 더 크고 진하게 남아 있다. 살면서 감정이 지나치다 싶으면 그 친구를 생각하며 반성한다. 아름답고 좋은 말이 습관으로 몸에 밴 사람은 삶의 빛깔에도 아름다운 꽃물이 밴다.

아니, 성장이라기보다는
그저 한 살 한 살
나이를 먹어 가는
것뿐이겠지만요. 나이를
먹고 나면 뭔가가
필요해지는 그런 순간이
온다는 말입니다. 최소한
저는 그랬어요.

앨런 러스브리저, 『다시, 피아노』(포노, 2016)

032

"엥? 향수를 썼었다고?"

　향수가 떨어져 사야겠다는 말에 친구가 의외라는 듯 되묻는다. 되묻거나 말거나 향수는 내게 생활필수품이다. 마음이 울적할 때 향수를 찾는 습관 때문이다. 손목에 살짝, 목 옆에 살짝, 맥박이 뛰는 곳에 뿌리라는 사용법을 따르진 않는다. 좀 우습게 들릴 수도 있는데, 난 우울할 때 코 밑에 바른다. 왼쪽 검지에 조금 칙 뿌려 코 밑에 두세 번 톡톡 두드린다. 덮었을 때 얼굴로 향하는 이불 쪽에도 두어 번 칙칙 뿌려 주고. 좋은 향기를 맡으면 감정이 환기되며 우울한 마음이 가벼워진다.

　7~8년 전쯤에 회사 동료가 오렌지 향이 시원해서 좋다며 고체 향수란 걸 선물했다. 그게 시작이었다. 향을 맡으니 정말 상쾌한 듯 기분이 좋아졌다. 마침 마음이 지쳤던 날이라 좀 더 오래 기분이 좋고 싶어 코 밑에 살짝 발랐더니 정말로 더 오래 기분이 좋았다. 그 좋은 걸 며칠 만에 잃어버려 다시 사야 하나 생각하던 차에 마침 서울 출장을 오신 선배가 전시회 부스에서 기념품으로 나눠 준 거라며 30밀리리터짜리 액체 향수를 내게 넘겼다. 모양새는 장난감처럼 유치했는데 향은 그런대로 괜찮아 웬 횡재냐 하고 넙죽 받아 썼다. 한동안 그 향기로 우울을 위로해 왔는데 그게 바닥이 난 거다. 미리 하나 장만해 놓아야 할 것 같아 검색에 들어갔다가 새삼 눈에 거슬리는 것 하나를 발견했다. 7~8년 동안 30밀리리터의 향기로 감당되었던 우울이라니. 그럭저럭 살 만했나 싶으면서도, 한편으로 생각하면 무언가 좀 억울하다.

"어머나, 우리가
계속 이 나무 아래에
있었던 건가요? (……)
우리나라에서는 이렇게
한참 동안 빨리 달리면
어딘가 다른 곳에
도착하게 되거든요."
"느림보 나라 같으니!
자, 여기에서는
보다시피 같은 자리를
지키고 있으려면 계속
달릴 수밖에 없단다.
어딘가 다른 곳에 가고
싶다면, 최소한 두 배는
더 빨리 뛰어야만 해!"
여왕이 말했다.

루이스 캐럴, 『거울 나라의 앨리스』(북폴리오, 2005)

033

이제는 주위에서 심심찮게 들을 수 있는 말로 '워라밸'이 있다. '워크 앤드 라이프 밸런스'Work and Life Balance의 발음을 우리식으로 줄여 만든 신조어로, 말 그대로 '일과 삶의 균형'을 의미한다. OECD 회원국 중 시간당 노동생산성이 17위(2017년 기준)라는 우리나라에서 일(노동)도 중요하지만 개인의 여가나 사생활도 중요하다는 것이 보편적인 생각으로 형성되면서 떠오른 개념이다. 실제로 한 여론조사에 따르면, '한국인 열 명 중 일곱 명이 연봉보다 워라밸을 더 중시한다'고 하니 확실히 라이프스타일과 노동관에서 사회적 변화가 느껴진다.

'일과 삶의 균형'이란 무엇을 의미할까? 경제적으로 먹고 살 걱정이 없지 않은 이상 보통 사람에게 일과 삶은 분리될 수 없다. 분리될 수 없는 두 가지 사이에서 적절한 균형점은 사람마다 다르다. 문제는 그 적절한 균형점을 자신도 모를 때가 아닐까? 내 노동으로 어느 만큼의 좋은 성과와 평가를 받고 싶은지, 그것을 위해 내가 원하는 라이프스타일을 어디까지 포기하거나 감내할 수 있는지, 어느 것의 만족감에 비중을 더 둘 것인지가 명확하지 않으면 이러지도 저러지도 못하고 방황하게 된다. '워라밸을 위한 아침 습관의 힘', '워라밸을 지키는 ○가지 방법' 등의 조언을 읽다 보니 내 일과 삶의 균형점은 어디일까, 하는 의문부터 든다.

피로감 역시
술버릇과 마찬가지로
부적절한 것이다.
둘 다 나쁜 습관의
증거다.

L. G. 프리먼

034

피곤하다. 출퇴근하며 지옥철에 시달리고 만원 버스에 부대끼고 업무에 매이고 사람에 치이는 것도 아닌데, 그러니까 나는 이제 시간을 자유자재로 쓸 수 있는 프리랜서인데 몹시 피곤하다. 하긴 모기 겐이치로가 『아침의 재발견』에서 사람들은 "SNS 대화나 게시물에 3초에 한 번꼴로 '피곤하다'는 말을 적는다"고 했으니 나만 이런 건 아닌 것 같다. 피곤, 다크서클, 월요병 같은 피로감 가득한 말이 지인과의 대화나 SNS 타임라인에서 심심찮게 눈에 띈다.

내 피곤함의 원인은 사실 좀 부끄럽다. 경험에 비추어 보면 프리랜서에게는 엄격한 시간 관리가 늘 관건이다. 프리랜서는 시간을 '자유자재로 쓸 수 있는' 사람이 아니라 시간을 '자유자재로 잡도리할 수 있는' 사람이어야 한다. 나는 아직 그 잡도리가 안 돼 곤혹을 치르고 있다. 출퇴근에서 자유로운 존재가 되니 자꾸 밤 시간에 관대해지는 것이다. 그것도 너무 지나치게.

정해 놓은 작업 시간에는 SNS나 미드를 들여다보며 여유를 부리다가 늦은 밤에야 허겁지겁 시작한 일이 새벽까지 이어지거나 새벽 1~2시에 과감히 넷플릭스 영화를 보는 날들이 이어진다. 이제 우리 동네 새들이 정확히 매일 새벽 4시 반에 일어나 우짖는 걸 알게 될 정도다. 늦게 잠자리에 드는 것이 나중에는 습관으로 굳어져 새벽 1~2시에는 잠도 안 왔다. 수면 시간의 악순환이 거듭되어 눈꺼풀좁쌀과 혓바늘을 달고 사는 만성 피로 상태가 되어서야 정신이 들었다. 이건 아니야!

하지만 나쁜 습관은 생기기는 쉽고 이전으로 되돌리기는 죽도록 어렵다. 그러니 아예 만들지 않는 것이 상책이다. 한번 즐거움을 맛본 뇌는 여간해선 그 맛을 놔주지 않는다. 또 내 뇌가 내 마음 같아질 일은 대체로 요원하기 때문이다.

고슴도치들은 날씨가
추워지면 서로 모여들어
체온을 나누는 습성이
있다는데, 같이 붙어
있게 되면 가시에 찔리고
떨어져 있자니 추운
딜레마에 봉착하게 된다.
결국 답은 가시에 찔리지
않을 정도의 적정 거리를
유지하면서 모이는
가까움과 멂의 균형이다.

강준만, 『습관의 문법』(인물과사상사, 2019)

035

인간이 다른 인간을 '안다'는 것만큼 불가능한 일도 없을 것이다. 흔히 "나도 나를 모르겠는데 누가 나를 알까", "난들 내 속을 알까" 하고 말하지 않나. 정말 내 속도 모르는데 누구를 알까 싶다. 박총 작가는 『읽기의 말들』에서 "온전한 이해가 불가능하다는 점에서 모든 이해는 오해라 할 수 있다"며 "내가 누구를 좋아함은 그를 긍정적으로 오해한 것이요, 누구를 싫어함은 부정적으로 오해한 것이다"라고 하지 않았던가. 그렇지. '긍정적 오해'와 '부정적 오해' 사이에서 일어나는 감정의 줄타기로 우리의 일상은 굴러간다. 단 한 번의 완벽한 이해 없이.

그럼에도, 그 한계에도 불구하고 누구에게나 '그 사람이 그럴 사람은 아니지', '그 사람은 믿어' 하는 보편적 믿음을 주는 존재가 극소수나마 생긴다. "사람 알아 버리면, 그 사람 알아 버리면 그 사람이 무슨 짓을 해도 상관없어. 내가 널 알아." 한때 푹 빠져 있던 『나의 아저씨』라는 드라마에서 인상 깊었던 대사다. 누군가가 나를 알고, 나도 그 누군가를 알 것 같다는 경험을, 살면서 한 번쯤은 할 수 있을지 모르겠다. 보통 그런 무한 신뢰는 은연중에 내비치는 사소한 말과 행동이 일관성 있게 오래 쌓여 실현될 때 가능하다. 그렇게 오래 쌓인 '알아 버림'으로 무슨 짓을 해도 상관없이 나를 보아 줄 존재가 간절하면서도, 또 다른 한편으론 누구와도 "가시에 찔리지 않을 정도의 적정 거리"가 유지되길 바라는 나는, 나도 내 속을 모르겠다.

우리가 반복적으로 하는
행동이 바로 우리가
누구인지 말해 준다.
그러므로 중요한 것은
행위가 아니라 습관이다.

아리스토텔레스

036

임경선 작가의 『곁에 남아 있는 사람』을 읽던 중 "없애 버리고 싶은 습관"이라는 말 앞에서 '그렇다면 남기고 싶은 습관은 무언가' 하는 의문이 들었다. 습관이 그렇게 부정적인 의미만 있는 말은 아닌데 당최 떠오르지 않았다. 겨우 생각난 것이 밥 먹고 그릇을 바로 설거지하는 정도?

다른 사람들은 어떻게 살고 있나 궁금해 주변의 대여섯 명에게 버리고 싶은 습관과 남기고 싶은 습관을 물었다. 역시나 버리고 싶은 습관은 재깍 답이 도착하는데, 남기고 싶은 습관은 첫 마디가 보통 이렇다. "글쎄요."

조금씩 시차를 두고 전해 온 답변들은 "무엇이든 끄적대는 습관은 버릴 수도 없고 남기고도 싶은 습관", "물건 쌓아 두지 않고 잘 버려요. 하나를 다 써야 새것을 사는 것", "숙제를 빨리 하는 습관"과 같은 생활밀착형 대답이나 "그럼에도 결국 긍정", "잘 웃는 습관" 같은 심리적 경향형 대답이었다. 지인들의 남기고 싶은 습관을 보며 빙긋이 웃는다. 나의 주변인들은 대체로 자기 '쪼'대로 사는 것 같다. 무엇이든 끄적대는 습관을 가진 A는 글도 쓰고 사진도 찍고 기록과 수집과 정리에 능하고, 물건 쌓아 두지 않고 잘 버리는 습관을 가진 B는 누가 시키지도 않은 공공임대주택의 관리를 도맡아서는 공무원도 입주민도 관리(?)하며 자신의 생활공간이 쾌적하도록 애쓰는 것을 결코 포기하지 않는다. 숙제를 빨리 하는 습관의 C는 할 일을 미루지 않고 도장 깨기 하듯 효율적으로 한다(신기한 건 그 모든 과정이 슬로비디오로 보일 만큼 여유롭다는 것). 일상의 습관이 결국 그 사람의 사는 모습으로 발현되는 건 어쩔 수 없나 보다.

그나저나 나의 남기고 싶은 습관은 정말 이게 끝인가? "떠오르는 게 없습니다. 있는 그대로의 나 자신이 존멋이랄까요"라는 압권의 답을 보낸 D처럼 나는 궁극의 자존감이 넘치는 사람도 아닌데.

오늘날 습관 형성의
과학은 매우 발달해서
나쁜 습관을 좋은
습관으로 고치지 않을
변명거리가 이제는 거의
남아 있지 않다.

톰 버틀러 보던, 『내 인생의 탐나는 자기계발 50』
(흐름출판, 2019)

037

주변에 '없애고 싶은 습관'과 '남기고 싶은 습관'을 물었더니 없애고 싶은 습관은 거의 질문과 동시에 답이 돌아왔다. '어렵네요'라고 말하는 습관, 흡연, 게으름, 잠들기 직전까지 스마트폰을 보는 것, 배불러도 계속 먹는 것 등. 대답이 즉시 나오는 것은 평소에 이미 그 행동에 불만을 품고 있었기 때문일 테다.

없애고 싶지만 여전히 진행형인 습관을 바꾸는 방법으로 여러 연구자들이 권하는 것은 그 습관을 고치려고 애쓸 것이 아니라 다른 습관으로 덮어야 한다는 것이다. 예를 들어 "어렵네요"라고 말하는 습관이 싫다면 그 말을 하지 않아야겠다고 결심하는 것보다 "간단해요", "쉽네요"라고 말하는 습관을 들이는 편이 더 수월하다. 또는 습관이라는 행동을 유발하는 '신호'를 파악해서 그에 따른 '보상'을 바꾸는 방법도 있다. 흡연 습관이 싫다면 담배를 피우고 싶다는 신호를 어떤 때 받는가를 살펴보는 거다. 업무 중 기분전환 혹은 니코틴 중독 같은 이유(신호) 때문이라면 기분 전환의 방법으로 동료와 커피 한잔을 하거나 스트레칭을 하는 행동(보상)으로 대체한다. 인성계발 분야 전문가인 톰 버틀러 보던은 『내 인생의 탐나는 자기계발 50』에서 이제 습관이 어떻게 만들어지는가에 대한 이론과 과학은 매우 발달해서 "나쁜 습관을 좋은 습관으로 고치지 않을 변명거리"가 거의 없다는 뜨끔한 말을 했는데, 그의 말을 빌리지 않더라도 그동안의 연구로 습관을 고치는 이런저런 해법과 주장은 차고 넘치는 것이 사실이다. 그러니 정말 마음만 있다면 고칠 수 있다는 것인데, 이럴 때 늘 하는 말이지만, "말이야 쉽지!"

각설하고, 술을 마시든 잠들기 직전까지 스마트폰을 보든 가장 중요한 것은 그렇게 하루를 채운 나의 습관이 내 마음에 들었냐 하는 것이 아닐까? 습관이 내 마음에 들었냐는 질문은 나의 하루가 내 마음에 드는 모습이었냐는 질문과 같다.

아멜리에는 갑자기
절대적인 평안을
느꼈다. 모든 게
완벽했다. 따스한 햇살,
미풍의 향기, 도시의
소음들…….
그녀는 심호흡을
했다. 삶은 단순하고
명료한 것!

영화 『아멜리에』(2001)

038

배우 오드리 토투가 주인공 아멜리에 폴랑으로 분한 『아멜리에』라는 영화를 좋아한다. 극 중에서 아주 신나서 웃었던 장면이 있는데, 종업원을 구박하고 놀리고 괴롭히는 야채가게 주인 아저씨를 아멜리에가 응징하는 장면이다. 그녀가 아저씨를 골탕 먹이는 방법은 아저씨의 일상에 아주 간단한 장치로 사소한 균열을 내는 것이다. 늘 울리는 알람 시간을 앞당겨 놓아 엉뚱한 시간에 잠을 깨우고, 슬리퍼를 한 치수 작은 것으로 바꿔 놓아 불편하게 하고, 늘 같은 방향으로 당기던 문고리의 앞뒤를 바꿔 놓아 당황하게 하고, 늘 앉는 의자의 높이를 미세하게 조정해 원인 모를 찝찝한 불편을 안겼다. 습관적으로 늘 하던 행동들이 뒤엉키고 꼬여 아저씨는 허둥지둥 당황하며 골탕을 먹는다. 꽤 오래된 영화인데 아직도 생각하면 절로 웃음이 나는 장면들이다.

아침에 일어나 씻고 밥 먹고 온종일 일하다 잠자리에 누워 하루를 마무리하기까지 누구나 매일 반복하는 행위가 있다. 이런 행위들은 오랜 시간에 걸쳐 반복되며 아무런 의식이나 생각 없이 저절로 몸에 밴 습관이다. 이런 습관이 된 행동에 미세한 균열이 거듭되며 문제가 발생하면 사람은 미치고 팔짝 뛴다. 무슨 문제가 생겼는지 금방 알아챌 것 같은데 모르는 것도 이해가 된다. 바뀔 리가 없는 것들이기에 어리둥절한 채로 당하는 아저씨의 재난이 우습기만 했는데, 문득 내 일상의 무의식적인 행동도 그렇게 의심스러울 것 하나 없이 단순하고 명료했으면 싶다. 좀 단조로워 보여도 그렇게 군더더기 하나 없이 너무 당연한 행동으로 채워지는 날들이라면 좀 평안하지 않을까?

누구나 저마다 살림의
콘셉트가 있겠지만
나의 경우는 '체크인한
호텔방'이다. 퇴근 후
돌아온 집이 체크인한
호텔방처럼 아무런
생활의 흔적이 느껴지지
않도록 노력한다.

김교석, 『아무튼, 계속』(위고, 2017)

039

『아무튼, 계속』이라는 책을 아주 좋아한다. TV 칼럼니스트인 김교석 작가가 쓴 책인데, '일상의 항상성 유지'라는 책의 메시지에 꽂혀 한동안 나의 '일상'과 '항상성'과 '유지'에 대해 반추했다. 의식했던 행동과 의식하지 못했던 행동이 어떤 비율로 내 '일상'의 틈새를 채웠는지, 무엇이 저절로 된 것이고 무엇이 애쓴 것이었는지, 나의 '항상성'을 구별해 보거나, 과연 변함없이 지탱하려 '유지'한 것은 있었던가를 새삼 되새겨 보았다.

이 책은 하나의 이미지로 내게 기억되는 책이기도 하다. '체크인 한 호텔방처럼 깔끔히 정돈된 고요한 방'이 그 이미지다. 김교석 작가는 일상 루틴을 위한 훈련으로 정리정돈을 권하며 자신의 살림 콘셉트가 "체크인한 호텔방"이라고 하는데, 그 생각이 하나의 이미지로 남을 만큼 무척이나 인상 깊었다. "퇴근 후 돌아온 집이 체크인한 호텔방처럼 아무런 생활의 흔적이 느껴지지 않도록 노력한다. 매일매일 반복되는 일상에 기분 좋은 청량함을 유지하기 위한 일종의 공간 심리다"라는 그의 글을 읽으며 소위 '폭풍 공감'이란 걸 했다. 그래서 새삼 꼼꼼해진 습관도, 없던 습관도 생겼다. 아침 잠자리는 반드시 정돈하고 외출할 땐 꼭 한 번 뒤돌아 확인하고 나간다. 내가 있던 자리를 간단하게라도 정돈하고 비우면 다시 그 자리로 들어설 때 단정함과 고요함을 만날 수 있다. 이 평온함이 주는 즐거움이 꽤 크다. 간혹, 있던 자리로 다시 돌아오지 못해도 그 자리에 마음에 걸리는 것 하나 남기지 않으며 살고 싶다는 생각도 한다.

처음에는 우리가 습관을
만들지만 그다음에는
습관이 우리를 만든다.

존 드라이든

○4○

국민학교 4학년 때의 일이다. 아버지께서 "선진국은 뭐가 달라도 달라. 그 나라 사람들은 자기들이 놀았던 자리에 절대 쓰레기를 안 남긴다. 바로바로 치우니 쓰레기가 아예 쌓이지 않는 거지"라는 말씀을 하셨다. 그때만 해도 '착한 어린이' 콤플렉스에 충실하던 어린이라 그 말씀에 얼마나 경도되었던지(100퍼센트라고는 할 수 없어도) '청소를 잘하자'가 아니라 '아예 청소할 거리를 만들지 않는 것'이 옳다고 무의식에 깊이 새긴 것 같다. 철들어서는 의식적으로 치워야 할 일을 최대한 줄였다. 간혹 게을러서 아무것도 안 하는 것으로 간주되기도 하지만, 한 십여 년 1인 가구로 사는 동안은 더 그랬다. 방금 청소한 공간을 최대한 유지하려 애쓰는데, 자주 청소를 하는 성실함이 아니라 한 번 청소한 것을 최대한 오래 유지하는 미련함이 포인트다. 그렇게 하려면 최대한 아무것도 하지 않거나, 행여 무엇을 한다면 그 즉시 정리로 이어져야 한다. 이렇게 이야기하면 주변이 항상 깔끔할 것이라 오해할 수 있는데 그건 착각이다. 만약 즉시 정리로 이어지지 못하면 그렇게 헝클어진 상태가 한동안 유지되기 때문이다. 여기에서의 '한동안'은 청소한 상태를 최대한 유지할 때의 그 '최대한'의 시간과 거의 비례한다. 그 최대한과 한동안의 시간이 지나면 나는 다시 청소를 하고 그 공간을 또 한동안 최대한 유지하다 그 최대한의 한계를 넘으면 또……. 대략 이런 반복이 되풀이된다.

여하튼 내게 치울 거리를 아예 만들지 않으려 애쓰는 습관이 생기는 데 엄청난 영향을 끼친 아버지는 훗날 그때의 이야기를 꺼내니 금시초문이라는 반응을 보이셨을뿐더러, 현재는 당신이 계셨던 흔적을 최대한 그대로 남기며 자리를 뜨는 습성으로 매번 엄마의 울화를 북돋는 중이시다.

"전자 제품에
비유하자면, 책갈피를
끼우고 책을 덮는 것은
'멈춤' 단추를 누르는
것이고, 책을 펼친 채로
엎어 놓는 것은 '일시
중지' 단추를 누르는
것이지." 고백하거니와
나는 되는대로 읽던 곳
표시를 해 둔다. 때로는
책의 양면을 쫙 펼쳐
놓기도 하고, 때로는
책의 귀퉁이를 접는
훨씬 더 극악한 죄를
짓기도 한다.

앤 패디먼, 『서재 결혼 시키기』(지호, 2002)

연필로 밑줄 긋기, 책 귀퉁이 접기, 포스트잇 플래그 붙이기, 북다트 꽂기……. 책을 읽다 마음에 꽂히는 부분을 표시하는 습관도 사람마다 제각각이다. 어떤 사람은 책의 귀퉁이를 접는 것을 못 견디게 싫어하는데, 나는 그렇지는 않다. 마음에 꽂히는 부분이 있으면 주저하지 않고 접는다. 특히 시집은 거의 늘 귀퉁이를 접는 것으로 마음에 든 페이지를 표시한다. 책장 끝을 아주 조금만 살짝 접는데, 책이 상할까 하는 걱정으로 그러는 건 아니고, 많이 접으면 마음을 노골적으로 표시하는 것 같아서다. 여하튼 그 바람에 마음에 꽂힌 시가 많은 시집은 책장을 덮었을 때 책의 오른쪽 윗부분이 도톰해진다. 인문교양책이나 문학책은 실외에서 읽을 때는 책 끝을 접기도 하지만, 포스트잇을 붙이거나 밑줄 긋는 쪽을 선호한다. 외출할 때 아예 적당량의 포스트잇을 책의 면지에 붙여 챙겨 나가기도 한다.

자신의 『W. B. 예이츠 시 선집』과 남편의 『T. S. 엘리엇 시 선집』을 공유하는 것에 비하면 "침대나 미래를 공유하는 것은 애들 장난에 불과했다"고 말하는 애서가 앤 패디먼은 읽던 곳 표시를 "책의 양면을 쫙 펼쳐" 놓거나 "책의 귀퉁이를 접는" 등 "되는대로" 한다고 했는데, 나는 마음이 꽂힌 곳을 표시할 때는 책 귀퉁이를 접더라도 읽던 곳을 표시하려고 책 귀퉁이를 접는 일은 절대 없다. 영원히 접어 두는 것은 괜찮아도 접었던 자국을 남기며 다시 펼쳐 놓는 것은 싫어서다. 읽던 곳을 표시할 때 제일 많이 사용하는 방법은 책 표지의 날개 부분으로 끼워 놓는 것이고, 그 외에는 포스트잇을 붙이거나 연필을 끼워 놓는다. 그마저 없으면 휴지를 쭉 찢어 끼워 놓을 때도 있다.

그녀는 책 냄새 맡는
것을, 책에 코를 대고
킁킁거리는 것을
좋아했다. 특히 중고책을
살 때 그랬다. 새 책도
어떤 종이를 썼는지,
제본할 때 어떤 접착제를
사용했는지에 따라
다양한 냄새가 나지만,
책을 사 간 사람의
집 안에 가만히 머문다.

크리스틴 페레플뢰리, 『지하철에서 책 읽는 여자』
(현대문학, 2018)

책 만드는 일을 하는 사람이 주위에 많으니 '지하철에서 책 읽는' 쥘리에트처럼 "책에 코를 대고 킁킁거리는 것을 좋아"하는 사람을 여럿 봤다. 나도 킁킁거린다. 쥘리에트처럼 중고책, 새 책에 대한 호불호가 있는 것은 아니고, 인쇄소에서 막 출고된 신간을 받으면 본문을 펼쳐 킁킁 냄새를 맡는 습관이 있다. 막 인쇄한 잉크 냄새와 종이 고유의 냄새, 제본할 때의 접착제 냄새 등이 한꺼번에 어우러져 그 책만의 냄새가 된다. 특히 종이는 지종紙種에 따라 감촉도 다르고 냄새도 다르다.

한번은 어느 출판사 대표님을 만났는데, 때마침 나온 신간 시집을 선물로 건네셨다. 라이너 쿤체의 『나와 마주하는 시간』이었는데, 본문 종이가 독특했다. 흔히 쓰는 모조지나 이라이트지가 아니라 130그램짜리 문켄. 문켄이라는 종이는 스웨덴산 친환경 수입지다. 판매시장이 크지도 않은 시집을 제작하며 왜 이렇게까지 제작비를 들이셨나 싶어 "아니 어떻게" 하는 말이 절로 나왔다. 대표님은 종이 느낌도 좋고 무엇보다 책과 어울려서 비싸도 그냥 제작해 버렸다며, 나중에 제작비 청구서를 받고서야 헉, 하고 후회하셨다고 사람 좋게 웃으셨다. 부담을 질 대표님께는 죄송하지만 독자의 한 사람으로는 폭신하고 풍부한 냄새가 나는 책에 또 한 권이 추가됐다. 따뜻하고 폭신폭신한 냄새, 말랑말랑한 냄새, 밋밋한 냄새, 서늘한 냄새, 다정한 냄새…… 책마다 다양한 냄새가 있다. 사실 '냄새'라는 명사를 꾸미기에는 적절치 않은 형용사들이지만 이런 다양한 냄새로 책을 만나기도 한다. 그 대표님뿐만 아니라 책 만드는 사람들을 만나 이야기를 나누다 보면 나도 모르게 자주 하게 되는 말이 "아니 왜 그렇게까지"이다. 하지만 그런 덕분에 책의 내용을 읽는 재미뿐만 아니라 냄새로도 만나고, 쓸어 보고 어루만지며 촉감으로도 만나는 즐거움을 누릴 수 있는 것도 사실이다.

"무언가를 기다리는
사람은 시간 계산을
잘못하기 마련이죠.
삼십 초가 마치
오 분처럼 느껴지거든요."

제인 오스틴, 『제인 오스틴의 말들』(마음산책, 2019)

043

무심결에 고개를 들다 내 얼굴을 보더니 화들짝 놀란다. 놀란 눈동자는 바로 손목시계로 향한다. "엇! 시간이 언제 이렇게!" 깜짝 놀라는 친구의 표정에 웃음이 난다. 한가로운 주말 오후, 오랜만에 커피나 한잔하자며 동네 카페에서 친구와 만난 참이다. 친구는 읽어야 할 책이 있어 일부러 한 시간 정도 일찍 도착했다는데, 퍽 읽을 만했는지 그 친구의 시간만 광속으로 흘렀나 보다. 반면에 집중해 몰두하고 있는 모습이 보기 좋아 한참을 근처에서 빙빙 돈 내가 보기엔 그 친구의 주변만 정지한 것처럼 보였다. 무언가에 한껏 빠져 있는 사람의 모습은 언제 보아도 매력적이다. 그런 모습 앞에서는 마음이 절로 너그러워져 내 것이 아니어도 그 소중한 순간을 지켜 주고 싶다.

어떤 일에 깊이 파고들거나 빠진 상태를 '몰입'이라고 한다. 미국의 심리학자 미하이 칙센트미하이가 정의한 개념이다. 일이나 공부를 하다가 혹은 내 친구처럼 책을 읽다가 문득 각성하며 시간이 언제 이렇게 갔지 할 때가 있다. 그렇게 온 마음이 집중된 때가 바로 몰입의 순간이다. 뇌과학자인 모기 겐이치로는 몰입 상태를 "필사적으로 매달리기보다는 오히려 편안하게 집중한 것에 가까운 상태"라고 말한다. "편안하게 집중한" 상태라는 말은 아주 자연스러운 상태와 일맥상통할 것이다. 억지로 힘들이거나 애쓰는 상태와는 정반대다. 그는 『아침의 재발견』에서 몰입의 효과는 안정된 상태의 아침 뇌에서 더욱 극대화된다며, "뇌의 컨디션을 최고로 만드는 사소하지만 중요한 습관" 몇 가지를 제안했다. 가령 밤에는 뇌가 쉬도록 해 주고, 아침에는 햇빛을 쐬어 뇌를 깨우고, 적당히 걷거나 운동해서 긴장을 풀고 뇌를 단련하며, 규칙적인 아침 식사로 뇌에 에너지를 공급하는 것 등이다. 따져 보면 하나같이 특별할 것 없는, 자연스러운 행동들이다.

나는 시라는 말만
들으면 가슴이 아프다.
가슴 아프다는 것은
사랑한다는 것.
좋은 시를 읽으면
자동인형처럼 고개가
올라간다.

은유, 『올드걸의 시집』(청어람미디어, 2012)

044

좋은 시는 소리 내어 읽는 습관이 있다. 책장을 넘기려다 멈칫하고 돌아와 다시 읽는다. 소리 내어. 그렇게 잠시 멈추어 소리로 읽히면 곱씹히는 시들이 있다.

미국의 소설가 겸 음악가 대니얼 핸들러는 「행복하고, 자극적이고, 촉촉한」에서 "내가 시를 읽는 동안 세상이 딱 멈추지는 않지만, 그 안에 있는 나의 공간은 행방불명된다"라고 썼다. 그 말의 뜻을 알 것 같다.

해마다 국화 화분
수십 개를 길러,
여름에는 그 잎을
살피고, 가을에는
그 꽃을 보았다. 낮에는
그 자태를 관찰하고,
밤에는 그림자를
감상했다.

정민, 『삶을 바꾼 만남』(문학동네, 2011)

"옛날에 저 앞산에 정상까지 갔다 왔는데. 아프기 전에. 오 통장 아지매랑."

앞산을 하염없이 바라보시던 엄마가 혼잣말처럼 읊조리신다. 엄마는 관절이 불편해진 뒤로는 외출이 확 줄었다. 바람도 쐴 겸 둘이서만 드라이브를 나온 길이었는데, 카페 창으로 보이는 산을 한참 보시더니 동네 친구와 그곳에 올랐던, 몸이 젊었던 어느 날이 떠오르셨나 보다.

예전에 건강하실 때의 엄마가 계절을 맞는 방법은 나름 향기롭고 바지런했다. 매년 봄이 오면 팔공산 아래 화훼단지에 가시는 것으로 엄마의 봄맞이는 시작되었다. 어느 하루 날을 잡아 아버지를 대동해 수선화나 팬지, 치자꽃나무 등 봄꽃과 화분을 잔뜩 장만해 와서는 마당 한구석을 화사하게 밝히셨다. 하지만 지금은 거동이 불편하시니 봄이 와도 예전처럼 꽃나무를 마음껏 들이지 못하신다. 어느 해인가부터 화훼단지에 가실 때마다 동행하고 있는데, 옆에서 살펴보면 예쁘다고 감탄하시면서도 매번 움찔움찔하시다 결국 손길을 거두신다. 아무리 옆에서 사라고 부추겨도 고개를 저으신다. "구경만 해도 좋다. 관리도 못하는데 죽이면 우짜노" 하시며 아주 작은 모종 화분 두어 개만 챙기시곤 됐다, 하며 자리를 뜨신다. 아무리 오랜 삶의 습관도 건강에 따라, 바뀐 형편에 따라 달라진다. 나이를 먹는다는 순리에 따라서도 할 수 없이 포기해야 하는 삶의 방식이 있다.

게다가 사포와 무라사키
부인, 에밀리 브론테와
같은 과거의 위대한
인물들을 생각해
보면, 그들은 창시자인
동시에 계승자이며,
여성이 자연스럽게
글을 쓰는 습관을
가졌기 때문에 그들이
존재하게 되었음을 알게
될 것입니다.

버지니아 울프, 『자기만의 방』(민음사, 2006)

046

한 고등학교 독서 동아리에 초대되어 간 적이 있다. 책이 만들어지는 과정을 궁금해하는 학생들과 이야기를 나눈 시간이었다. 두 시간 강의 시간 중 15분 정도 쉬는 시간에 학생들과 편하게 이런저런 이야기를 주고받는데, 한 학생이 매일 시를 쓴다는 이야기를 했다. '매일이라고? 오호, 그 말로만 듣던 문학 소년?' 놀라며 궁금하다고 했더니 슬그머니 자리를 뜬다. 많이 궁금했지만 짧은 쉬는 시간이라 차마 교실까지 가서 가져오라는 소리는 못 했는데 아이의 마음이 움직였나 보다. 잠시 후 돌아온 아이가 눈길은 딴 곳에 두고 노트 두 권을 슬그머니 내민다. 시로 빼곡한 두 노트를 잠시 살펴보았다. "이런, 사랑에 빠졌구나?" 씩 웃으니 아이도 씩 웃는다. 그 웃는 모습이 참 이뻤다.

매일 시를 쓴다는 그 학생의 말이 한동안 머릿속에 맴돌았다. 감수성이 넘칠 나이니 '한창 그럴 때지' 하는 생각과 그래도 요즘 같은 세상에 고등학교 2학년 학생에게는 흔치 않은 일 아닌가 하는 생각이 반반 들었다. 키우는 아이가 없으니 나는 알지 못할 일이다. 하지만 매일 무언가를 쓰는 시간은 매일 무언가를 생각한 시간이었을 거라는 건 안다. 사랑에 빠진 아이가 상대에 대해, 자신에 대해, 그러다 사랑에 대해, 미움과 질투, 기쁨과 불안, 갈망과 충족감…… 인간의 수만 가지 감정에 대해 고민하고 생각해 봤을 매일의 밤을 상상하니 내 마음이 다 벅찼다. 매일 빈 여백과 펜을 앞에 두었던 마음은 매일 조금씩 자랐을 걸 알기에.

이런 순간에 나를
유감스럽게 만드는 것이
있다면, 그것은 내가
인간 세상의 무의미한
소음 속에 사느라 낭비해
버린 내 긴 일생에 대한
생각뿐이다.

조지 기싱, 『기싱의 고백』(효형출판, 2000)

047

출퇴근길이 생략된 생활을 하다 보니 하루 활동량이 너무 적어 초저녁에 산책을 한다. 한 시간 정도 동네 주위나 근처 공원을 걷는데, 준비물로 꼭 챙기는 것이 휴대전화와 이어폰이다. 그날 들을 한두 편의 팟캐스트를 다운로드받아 집을 나서면서부터 이어폰을 귀에 꽂는다. 산책에서 돌아올 때까지 귓속으로 끊임없이 소리가 흘러든다. 습관처럼 당연히 그렇게 했다. 아무 생각 없이 걷는 시간을 활용하는 것 같았고, 걷기 운동도 되고 정보나 재미도 취하니 일거양득이라고도 생각했다.

그러던 어느 날, 우연히 들을거리 없이 나섰던 길에서 깨달았다. 정보와 재미라고 생각했던 그 콘텐츠들이 헨리 라이크 로포트가 말한 "인간 세상의 무의미한 소음"이었고, 나는 그 소음을 귓속으로 퍼붓느라 내 생각을 멈췄었다는 걸 말이다. 소리를 멈춘 산책길에서는 생각이 생각의 꼬리를 물며 이어졌고, 그 사이에서도 무궁무진하게 피어오르는 각기 다른 생각은 잡다하기도 했지만 다채롭기도 했다. 그 가운데 내가 그렇게 고민하던 해답의 실마리가 튀어나올 때도 있고, 더 깊은 생각으로 이어 보고 싶은 새로운 아이디어가 떠오르기도 했다. 너무 오랜만에 느껴 보는 고요와 평온함 그리고 사색의 시간에 놀랄 정도였다고 하면 좀 과장일까? 콘텐츠의 홍수 시대라고 해도 과언이 아닐 만큼 매일 들을거리, 읽을거리, 볼거리가 넘쳐 난다. 그 세상에서 우리 안에 볼 것을 쏟아붓느라, 소리를 쏟아붓느라 알게 모르게 생각을 멈추는 일이 비일비재하다. 어느 것이 더 충실한 시간일지는 각자의 사정에 따라 다르겠지만, 한 번씩은 소리를 멈추고 고요해 볼 것을 권한다.

내 방식이나 다른 사람의
방식이나 다 좋지만
누구나 자기 방식을 가장
좋아하지요.

제인 오스틴, 『설득』(민음사, 2017)

048

맞춰 놓는 기상 알람 시간이 세 개다. 일어나고 싶은 시간은 오전 7시 30분인데 오전 7시, 7시 20분에 하나씩 더 맞춰 놓는다. 일어나고 싶은 시간이 다른 시간으로 바뀌더라도 꼭 30분 전에 한 번, 10분 전에 한 번씩 더 울리도록 맞춘다. 한 후배는 "아니, 피곤하게 왜 그렇게 하는 거예요? 자다 깨다 자다 깨다 하는 게 얼마나 피곤한데" 하며 당최 이해가 안 된단다. "왜? 이렇게 하면 얼마나 좋은데!"

제시간에 일어나지 못할까 불안한 마음에 여러 개를 맞춰 놓는 것은 아니다. 정말 나만의 즐거움이다. 첫 번째 알람이 울리면, 아직 안 일어나도 되는 걸 잠결에도 안다. 알람을 끄고 다시 자도 되는 것에 안도하며 잠을 잔다. 그러고는 20분쯤 더 자는 건데, 열에 아홉은 꿈까지 꾸며 마치 하루 치 잠을 더 자는 듯해서 뭔가 이득인 느낌이다. 더 좋은 건 그 후에 울리는 알람에도 아직 한 번 더 잘 수 있다는 것이다. 마지막 알람은 누구나의 알람과 똑같다. 기어이 일어날 시간이다.

자다 깨다 자다 깨다 해서 더 피곤해진다고 해도 나는 이 방식이 좋다. 첫 알람 때 잠깐 잠이 깼다 아직 더 자도 된다고 안심하고 다시 자는 맛이 좋다. 아침형 인간이 될 생각은커녕 어떻게 해서든 안심하고 '한 번 더' 자는 즐거움이나 찾는 것이 좀 한심해 보일지 몰라도 이것이 즐거운 기상 시간을 위한 나만의 방식이다.

우리 집은 나 혼자
사는데도 텔레비전이
세 대다. 일할 때도
음소거로 하고
영상을 틀어 둔다.

사노 요코, 『사는 게 뭐라고』(마음산책, 2015)

049

산책이나 이동할 때 무조건 뭔가를 듣는 습관 외에 소리와 관련한 습관이 하나 더 있다. 혼자 살면서 생긴 버릇으로, 집에 들어서자마자 팟캐스트나 유튜브를(TV는 없고) 틀어 놓는 것. 씻으면서, 저녁을 준비하면서, 밥을 먹으면서, 쉬면서, 뭘 하건 상관없이 텅 빈 공간을 소리로 채운다. 사노 요코처럼 텔레비전을 세 대나 두지는 않지만, 주의 깊게 듣거나 보는 것도 아니면서 뭔가를 습관적으로 틀어 놓는다는 면에서는 마찬가지다. 혼자 있는 적막함을 깨트리려고 한 행동이었나 싶은데 그것이 인이 박였나 보다. 일할 때 외에 밥을 먹거나 화장실을 가거나 차를 마시거나 휴식할 때는 꼭 무언가 영상이나 소리를 틀었다. 이것 역시 자투리 시간을 활용한다는 생각이었는데, 마찬가지로 사색을 방해하는 공해였다. 소리나 영상이 끊임없이 머릿속과 귓속으로 들어오면 생각이란 것이 불가능하다. 어느 땐 생각할 것이 있는데도 큰 의미도 없는 것을 차마 중단하지 못하고 강박적으로 듣고 본다. 이쯤 되면 습관이 아니라 중독이 아닐까? 『월간 정여울』 「두근두근」 편에서 정여울 작가는 "우리를 중독시키는 것들의 겉모습은 '쾌락'이지만, 그 본질은 '마비'다"라고 했다. 마비는 신경이나 근육이 기능을 잃어버려 감각이 없어지는 것으로 아무것도 느끼지 못하니 죽은 것과 다름없다. 몸뿐만 아니라 생각도 마비되지 않도록 늘 경계할 일이다.

+

쓰다 보니 뒤늦게 깨닫는다. 눈은 다른 곳으로 향하면 뇌로 가는 정보를 차단할 수 있지만, 귀는 무조건 뇌로 정보가 이어진다. 사노 요코나 나나 뭔가를 틀어 놓은 건 같은데 그녀는 제 생각을 이어 나갔고, 나는 내 생각을 차단했구나 싶다.

습관 만들기는
뇌에 하나의 길을
만드는 일이다.

『EBS 부모광장』 중 '습관의 비밀 1. 성공 습관'

050

자기계발과 경영 분야 전문가인 공병호 박사는 「EBS 부모광장」이라는 TV 프로그램에서 "습관 만들기는 뇌에 하나의 길을 만드는 일"이라고 했다. 『유럽 사회심리학 저널』에 실린 '습관이 형성되는 데 걸리는 시간'을 연구한 논문에 의하면, 어떤 행동이 습관이 되기까지는 평균 66일이 걸린다고 한다. 예를 들어, '식사 후 물 마시기'는 습관이 되기까지 평균 20일, '윗몸 일으키기 50회'는 평균 87일 정도 걸린단다. 습관 만들기는 최소 두세 달 동안 우리 두뇌에 하나의 길을 만들듯 반복해야 하는 일이다. 수풀이 무성한 곳에 길이 만들어지려면 끊임없이 반복해 오가며 다져야 한다. 잠시만 방심하면 수없이 오가며 다졌던 수풀이 한 번의 단비에 무성히 되살아나기도 하는 법이다.

온갖 고민거리에 대한
주의 집중과 각양각색의
타인에 대한 배려심을
마비시키는 것,
오직 습관적으로
중독적인 행위를
함으로써만 즉각적인
만족을 얻는 것. 그것이
그림자 위안의 쓸쓸한
뒷모습이다.

정여울, 『월간 정여울』(천년의상상, 2018)

051

마크 트웨인이 한번은 금연을 목표로 우선은 하루 딱 한 개비만 담배를 피우기로 결심했다. 그러자 하루 종일 그 흡연의 욕망이 자신을 괴롭혀 처음에는 담배 한 개비이던 것이 일주일이 지나자 훨씬 큰 담배 한 개비가 되었고, 2주일이 지나자 자신이 담배를 만들고 있더니, 한 달이 되어서는 결국 담배 한 개비가 목발만큼 커졌다고 한다. 그러고는 "마음을 옥죄는 맹세 따위 하지 않았더니 오히려 나쁜 습관을 떨쳐 내기 훨씬 쉬워졌다"라는 말을 했다. 욕망의 존재를 인정하고 자유로워졌다는 말인가 싶었는데, 결국 "필요할 때는 고통 없이 그런 욕망과 습관을 되살리기도 했다"라고 말했다니, 결론은 피우고 싶을 때 피웠다는 얘기다. "금연만큼 쉬운 일은 없다. 나는 수천 번도 넘게 해 봐서 잘 안다"라는 그의 너스레는 유명하다. 시인 오상순도 하루 스무 갑 이상 담배를 피웠다고 하는데, 묘비 뒷면에 '담배를 사랑하다'라는 글귀가 새겨져 있을 만큼 애연가였다. 작가나 예술가 중에 유독 애연가가 많다. 담배는 공공연히 창작과 스트레스 해소를 위한 예술가들의 필수품으로 여겨진다.

작가 제니퍼 루덴은 "쾌락을 주면서도 실제로는 에너지를 소비하고 감각을 마비시키는 행동"을 '그림자 위안'shadow comforts 이라는 용어로 정의했다. 불안하거나 무기력하거나 우울하다고 느낄 때 도피를 위해 습관적으로 찾는 술, 단 음식, 줄담배, 게임, 스마트폰 같은 것들이 주는 가짜 위안을 말한다. 이런 것들은 순간의 쾌락이나 위안은 되어도 문제의 해결책은 되지 못한다. 그림자 위안이라는 허상에 마음을 빼앗기지 않고 문제를 해결하기 위해서는 진정한 위안을 찾아야 한다. 늘 '참된' 것을 분간해 길 잃지 마시길.

있잖아요, 당신은 그저
사랑이 습관이 되었을
뿐이에요.

도리스 레싱, 『사랑하는 습관』(문예출판사, 2018)

O52

주인공인 조지는 재혼 대상으로 생각했던 마이러에게 거절당하고 상처받는다. 50여 년이 넘는 인생을 살며 수많은 사랑을 해왔던 조지는 사랑의 허망함을 느끼면서도 "좀 덜 외로워질" 거라며 이혼한 전 부인에게 다시 청혼하기도 하고, 그러다 서른 살 나이 차가 나는 젊고 아름다운 보비와 사랑에 빠져 재혼한다. 영국 소설가 도리스 레싱의 『사랑하는 습관』의 이야기다.

조지는 믿을 수 없을 만큼 편안함과 행복을 느낀다는 보비와의 사랑에서도 정작 그녀에게는 관심이 없고, 오히려 자신의 고독과 외로움에만 초점을 맞추며 자신이 생각하는 '사랑'을 할 뿐이다. 보비는 그런 조지에게 사랑이 습관이 되었을 뿐이라고 비난하지만, 결국 그녀도 그와 같은 길을 걷는다. 조지와의 결혼 생활 중 사랑하게 된 어린 청년을 향한 감정을 '포기'하고 조지와의 감정 없는 결혼 생활을 선택하는 것이다. 이들의 현실에서 사랑이라는 감정은 너무 거추장스럽고 허튼짓이다.

마이러에게 상처받은 뒤 "가슴이 아프다는 말은 사람이 아픈 심장을 품고도 밤낮으로 돌아다닐 수 있다는" 뜻인 것 같다며 "몇 달째, 아니 1년 가까이 그렇게 돌아다니는" 중이라는 조지의 슬픔은 왜인지 절절하지 않다. 사람들은 사랑을 할 때 때로 자신도 몰랐던 의외의 제 모습을 발견하는 뿌듯함과 신선함, 그리고 사랑에 빠졌다는 사실에 한껏 도취된다. 그리하여 제 사랑이 몇 배로 짙은 것이라 착각하는 비현실적인 환상에 빠지곤 한다. 일상이 습관화되는 것처럼 사랑도 습관이 되어, 사랑할 사람이 없으면 견딜 수 없어 하는 조지는 차라리 현실적 인물이다. 그래서 그가 슬픔의 무게에 짓눌려 잠에서 깨어난다 해도 '현실적으로는' 그 슬픔도 그러다 말 슬픔이다. 사랑의 덧없음을 말하고 싶은 건 아니다.

습관들이란 낱말들,
농담들, 의견들, 몸짓들,
동작들, 심지어 모자를
쓰는 방식까지를
의미한다. 물리적
대상이나 장소들
ㅡ가구 한 점, 침대 하나,
방의 한구석, 어느 주점,
길모퉁이 등ㅡ
이 습관들이 자리하는
배경을 제공한다. 그러나
그 주거처가 보호하는
것은 그런 물건이나
장소가 아니라 바로
전래의 습관이다.

존 버거, 『그리고 사진처럼 덧없는 우리들의 얼굴, 내 가슴』
(열화당, 2004)

우리 집은 내가 열다섯 살쯤에 이사 온 곳이다. 이후 30대 후반에 처음 부모님 집을 떠나 혼자 살기 전까지 집이라는 공간에 대해 곰곰 생각해 본 적이 없다. 취향과 집을 연결할 생각도 당연히 하지 않았다. 그래서 고향을 떠나 내가 살 곳을 직접 구해야 했을 때 적지 않은 나이에도 난생처음 경험하는 일이라 무척 당황했다. 한 번은 혼자 집 한 군데를 구경하고 선뜻 계약을 하지 못하고 있는데, 친한 선배가 함께 봐 주고 고개를 절레절레하며 왜 그 집을 구하면 안 되는지 상세히 설명해 주었다.

그렇게 아는 것이 없을 때도 어설프게나마 내가 내세운 좋은 방의 조건이 있었다. 창문으로 반드시 초록색이 보일 것. 나무든 꽃이든 그 집에 딸린 것이든 저 멀리 있는 것이든 상관없다. 지하철역이 멀어도, 오래된 건물이어도 모두 괜찮았지만 이 원칙만은 이후에도 계속 지켜졌다.

그런데 부모님과 함께 살 때는 엄마나 아버지가 마당 화분에 이런 꽃이 폈다, 꽃 좀 보라며 손을 이끌어도 크게 환호한 적이 없었다. 슬쩍 보고 "폈네" 하면 "향도 좀 맡아 봐. 아이고 우리 딸내미는 원체 꽃은 관심도 없으니" 하는 타박을 듣기 예사였다. 그랬던 내가 살 곳을 구하며 첫 번째 조건으로 생각한 것이 멀리라도 초록색이 보이는 것이라니 내가 생각해도 희한했다. 게다가 나중에는 조그마한 거라도 화분까지 꼭 하나 들였다. 딱히 자연친화적이지도 않고 게으른 내가 뜬금없는 초록 타령을 하니 처음에는 친구들도 코웃음을 쳤는데, 이제는 꽤 식물을 '선호'하는 사람으로 자리매김한 것 같다. 때로 습관은 과거에서 전래된 것이 저도 모르게 스며들었다 스며 나오기도 한다.

흐른다는 건 덧없이
사라진다는 것.
그러나 흐르는 것만이
살아 있다. 흘러가는
'동안'의 시간들. 그것이
생의 총량이다.

김진영, 『아침의 피아노』(한겨레출판, 2018)

054

2011년 세상을 떠나기 전까지 숫자 쓰기를 통해 무한에 도전했던 로만 오팔카라는 폴란드의 화가가 있다. 이 화가의 대표작이자 유일한 작품 제목은 『1965/1-∞』이다.

그는 1965년부터 검은 바탕의 캔버스에 흰색 물감으로 1부터 차례대로 숫자를 적기 시작했다. 1972년 마침내 숫자 1,000,000을 적었고, 그 이후부터는 캔버스 하나를 다 채우고 나면 그다음 캔버스에는 바탕색에 흰색을 1퍼센트씩 첨가해 칠한 뒤 그 위에 또 끊임없이 숫자를 이어 써 나갔다. 흰색이 1퍼센트씩 더해진 검은 바탕의 캔버스가 언젠가 흰 바탕이 되고 그 위에 흰 물감으로 보이지 않는 그림(숫자)을 그리려던 것이 오팔카의 계획이었다. 그가 젊은 날 세운 목표치는 7,777,777이었고, 마지막으로 쓴 숫자는 5,607,249였다.

그런데 시간을 그리는 화가로 알려진 그의 작품만큼이나 내게 강렬했던 건 그의 사진이다. 로만 오팔카는 1972년부터 매일 자신의 작업실에서 흰색 셔츠를 입고 흰 벽을 배경으로 같은 위치에서 사진을 찍었다. 건강한 피부를 가진 젊은 날 그의 모습은 흰 배경 앞에서 선명하고 뚜렷하다. 점점 시간이 흐르며 피부색도 옅어지고 머리카락도 허옇게 세는데, 그러면서 점차 흰 배경과 경계가 허물어진다. 그가 채워 나가는 그림도 그의 모습을 담은 사진도 점점 흰 배경으로 녹아드는 것 같다. 수십 년간 매일매일의 시간 흔적이 세월의 흐름에 따라 점점 희미해지고 급기야 언젠가는 사라질 것을 짐작하는 일은 강한 울림을 준다. 영원하지 않은 인간이 영원한 시간 속에서 되풀이해 묵묵히 쌓은 흔적은 왜 하나같이 뭉클한가.

내게 미안하다
나로 살게 해서

하상욱 시

055

『SBS 스페셜』「당신의 인생을 바꾸는 작은 습관」편은 습관 때문에 괴로운 사람들이 습관 바꾸기 프로젝트에 참여한 내용을 담고 있다. 공부 습관, 정리 습관, 야식 습관으로 각각 고민인 세 사람이 4주 동안 전문가의 도움을 받아 변화에 도전했다. 세 참가자 중 한 명인 정재현 씨는 '음악'이라는 꿈을 위해 음식점에서 새벽 아르바이트를 하는 청년이었는데, 매일 밤 인스턴트 음식으로 늦은 야식을 먹는 습관을 바꾸고 싶어 했다. 도움을 위해 투입된 행동치료 연구소 팀의 전문가가 그에게 강조한 것은 의지보다 환경의 변화가 중요하다는 것! 제일 먼저 정한 규칙은 집에 와서 바로 눕지 않기 위해 기상 후 매트리스를 정리하는 것이다. 그 외에 정해진 시간에 저녁 먹기, 집에 들어오자마자 씻기, 잠들기 전 팔굽혀펴기 다섯 개 하기 등의 규칙이 정해졌는데, 사실 야식 먹는 습관을 끊기 위한 방법과는 '정해진 시간에 저녁 먹기' 정도만 관련 있어 보이고, 나머지는 무슨 상관이 있나 싶을 정도로 소소하다. 당사자인 정재현 씨도 "생각보다 사소해서 놀랐어요. 전 엄청 거창한 건 줄 알았거든요"라고 인터뷰에서 말한다. 물론 프로그램이 끝나 가며 환경의 변화가 어떤 영향을 끼치는지 생생히 알 수 있다.

그 4주간의 도전이 끝난 후 그가 『컨셉진』이라는 매체에서 한 인터뷰를 우연히 봤다. 그 습관을 여전히 유지하고 있느냐는 질문에 "방송이 끝나니 아무래도 느슨해지는 감이 있지만 여전히 노력하고 있다"고 한다. 인터뷰에서 그는 "억지로 큰 걸 하지 말고 더 작은 걸 해 보라고 말하고 싶어요. 그 쉬운 것으로 자신감도 생기고 정말로 많은 게 바뀌니까요. 살면서 한 번쯤은, 적어도 일주일만이라도 해 보시면 좋겠어요"라는 말을 남겼는데, 방송 프로그램에서도 일관되게 이야기했던 것이 원하는 습관을 위해서는 사소하고 쉬운 목표를 세우라는 것이다.

입술만 떼도 난 알 수
있어 너의 말들
나를 위해 짓던 미소는
습관이 되어 가네.

에픽하이, 『습관』

056

사람과 사람의 관계에서 한쪽의 태도가 습관이 되어 간다면 관심이 거둔 노련함일까, 익숙함에 젖은 타성일까. '누군가의 습관을 안다'는 사실, 그 묘한 양면성을 생각한다.

　'당신을 다 알아' 하는 듯한 누군가의 태도에 때로는 배려심이 느껴져 마음이 말랑말랑해지고, 때로는 답답함에 실소를 금치 못한다. 그 차이는 어디에서 오는 걸까. 그 원인은 상대에게 있는 걸까, 내게 있는 걸까.

나는 꼭두새벽부터
일어나 책꽂이를 걸레로
닦곤 했다. 출근 시간에
늦는 것도 아랑곳하지
않고 한 권 한 권의
책 낱장들을 후루룩
들쳐가며 먼지를 털었다.

한강, 『여수의 사랑』(문학과지성사, 1995)

예전에 서양의 주 필기도구가 깃펜이던 때가 있다. 깃펜의 원료로는 잉크를 머금는데 탁월한 거위나 까마귀의 깃털이 많이 사용되었는데, 오른손잡이의 경우 오른쪽 방향으로 휘어진 새의 왼쪽 날개 깃털이 사용하기에 좋았고 왼손잡이의 경우에는 그 반대였다. 당시 중요한 필기도구인 깃펜을 공급하기 위해 유럽 전역에는 거위 농장이 넘쳐났다. 1795년에 프랑스 화가 니콜라스 자크 콩테가 '흑연과 진흙을 혼합하여 삼나무로 껍질을 씌운' 현대적 연필의 시초인 필기도구를 발명하고, 19세기에 만년필이 발명될 때까지 거위의 수난은 계속되었다. 지금도 인간의 옷이나 이불을 위해 거위가 산 채로 털을 뜯기고 있지만 깃펜의 깃털도 살아있는 새의 것만 사용했기 때문이다. 연필을 깎는 '펜나이프'라는 이름은 이 깃펜을 깎았던 데서 유래한 것이다.

마음을 좀 가라앉히고 싶을 때 연필을 깎곤 한다. 쓰윽 쓱 나무 깎이는 소리가 고요하고 삭삭삭삭 연필심 가는 소리도 마음을 가라앉히는 데 퍽 흡족하다. 연필 깎는 소리는 유튜브에서도 인기 있는 ASMR이라고 하니 확실히 다른 이들에게도 심리적 안정감을 주는 소리인가 싶다. 마음이 조급하거나 혼란이 극심해 갑자기 뚝, 멈추고 싶을 때가 있다. '일단 멈춤'의 순간이다. '일단 멈춤'의 순간에는 무엇에도 아랑곳하지 않고 사악 삭, 연필을 깎으며 부푼한 마음을 가라앉히는 것이 어쩌지 못하는 시간을 대하는 나만의 습관이다.

Q. 하루에 한 장씩 드로잉하는 습관을 들인 지 7년이 넘었다고 들었어요. 꾸준히 이어 올 수 있었던 비결이 있나요?
A. (……) 꾸준히 해 온 비결이라면 스스로의 결핍을 잘 파악하는 것입니다. 자신의 부족함을 채우고자 하면 습관도 자연스럽게 생기는 것 같아요.

『컨셉진』, '성립' 작가 인터뷰 중

영어의 'want'도 결핍의 의미를 내포하고 있고, 한자의 '욕망할 욕慾'도 무언가 비어 있다는 의미를 가지고 있다. 욕망이라는 말은 부족하다는 것을 전제로 무엇을 가지거나 누리고자 탐하는 것이다.

찰스 두히그는 습관이 탄생하는 세 단계를 '신호, 반복 행동, 보상'이라고 정리했고, 제임스 클리어는 '신호, 열망, 반응, 보상'이라는 모델을 제시했다. 두 사람 모두 개인적인 경험을 바탕으로 반복되는 행동, 즉 습관이 만드는 극적인 변화에 관한 책을 써 세계적인 베스트셀러 작가가 된 습관 전문가다. 이들의 주장은 모두 1930년대 행동심리학자 스키너가 발표한 '조작적 조건 형성' 이론에 뿌리를 둔 것으로, 스키너는 "조작적 조건 형성은 특정 행동, 행동의 결과, 해당 특정 행동의 재발 가능성이라는 세 요소를 가지고 있다"고 정의했다. 표현이나 단계를 조금씩 달리했지만, 결국 습관은 처음에는 아주 미미한 외부의 자극에 반복 행동이 계속되고 적절한 보상이 서로 연결 고리처럼 이어져 되풀이되면서 형성된다는 주장이다. 대부분 이 습관의 탄생을 결정짓는 요소로 '보상'의 중요성을 강조하는데, "결핍이 욕망을 낳는다"는 말도 있듯 사람들에게 가장 큰 보상이 되는 것은 자신의 욕망을 채우는 것이고, 그 욕망은 결핍에서 생겨난다. 그 결핍에 대한 간절함이 우리 욕망의 크기이다.

내가 손톱을 깎고
있으니, 짝지도
내 앞에 쪼그려
앉아 따라 깎았다.
이것이야말로
일상 드로잉.

박조건형 · 김비, 『별것도 아닌데 예뻐서』(김영사, 2018)

059

그림 그리는 사람 박조건형과 글 쓰는 사람 김비가 함께 쓴 『별 것도 아닌데 예뻐서』는 제목 그대로 별것도 아니지만 예쁜 두 작가의 일상을 글과 드로잉으로 담아 낸 책이다. 고마운 후배가 두 작가의 사인까지 받아 정성스런 책 선물을 건넸다. 사인 옆에는 이런 메시지도 함께 적혀 있다. "자신의 삶을 기록하는 일은 참 멋지고 재미있는 일입니다. 재미있게 읽어 주세요."

가지고 싶은 습관 가운데 하나가 매일 한 장, 일상의 한 장면을 그림일기로 기록해 남기는 것이다. 심심한 듯 간결한 선으로 특별할 것 없는 순간을 그려 보고 싶다. 반복되는 일상은 너무 소소하고 평범해서 기록하지 않으면 시간이 지나며 자연히 흩어져 버릴 것 같다.

"내가 손톱을 깎고 있으니, 짝지도 내 앞에 쪼그려 앉아 따라 깎았다"는 두 작가의 어느 한때처럼 목욕탕을 나서며 엄마와 함께 하드 사 먹는 순간, "안아 줘" 만나면 팔부터 감아 대곤 하는 어린 조카들의 어리광 등을 기록으로 남겨 잊지 않고 기억하고 싶다.

일상을 기록으로 남기는 일에 관해 말하다 보니 문득 이런 생각도 든다. 반복되는 일상에서 반복되는 일들은 그 익숙함으로 아예 기억에서 사라지기도 하고 오히려 새겨지기도 하겠구나. 안타깝게 기억에서 휘발시켜 버린 것 가운데도 새겼으면 좋았을 것이 있지는 않았을까.

우리는 바로 일할
것이야. 아아, 하지만
너무 늦었어.

에드거 앨런 포, 「심술궂은 임프」The Imp of the Perverse

◯6◯

"늦었다고 생각할 때가 가장 빠르다"라는 경구를 언젠가 개그맨 박명수 씨가 "늦었다고 생각할 때가 진짜 늦었어요"라는 말로 패러디해서 인기를 끈 적이 있다. 그의 말에 손뼉을 치며 사람들이 공감했던 건 누구에게나 미루다 낭패 본 경험이 한두 번쯤은(혹은 훨씬 많이) 있었기 때문이 아닐까? 미루기 습관은 꽤 역사가 깊다. 오죽하면 미루는 사람들을 지켜 주는 수호성인이 다 있을까. 작가이자 저널리스트인 앤드루 산텔라 자신의 책 『미루기의 천재들』에서 미루는 사람들의 수호성인 '성 엑스페디투스'를 소개한다. 성 엑스페디투스는 보통 까마귀를 발로 밟고 있거나 까마귀 목을 손에 꽉 움켜쥔 이미지로 회화 작품에 등장하는 성인이다(실존 인물은 아닌 듯하지만). 그 까마귀의 부리에는 예외 없이 '내일'이라는 뜻의 라틴어 '크라스'CRAS가 적힌 두루마리가 물려 있고, 성 엑스페디투스가 들고 있는 십자가에는 '오늘'이라는 뜻의 라틴어 '호디에'HODIE가 적혀 있다. 내일이 아니라 오늘, 지금 바로 행동할 것을 독려하는 '미루는 사람들의 수호성인' 성 엑스페디투스의 메시지를 상징하는 이미지다.

드폴대학교 심리학과 교수인 조셉 페라리는 "시간을 질질 끌거나 꾸물거리는 것은 전 세계 어디에서나, 누구에게나 나타난다. 그것이 인간의 기본적인 습성이기 때문"이라며 미루기와 게으름은 인간의 가장 오래된 버릇이라고 말한다. 이 인간의 가장 오래된 습관은 사라지지도 않고 영원하겠지만, 생각해 보면 "너무 늦었어"라며 쉽게 포기하는 사람 역시 흔하지는 않다. 미루고 미루는 것도 인간이고, 미룬 일의 꼬리를 잡고 악착같이 매달리는 것도 인간이다.

여성이 대체로
뛰어나다고 칭찬받는
자연스러운 문체의
형성에 크게 기여한 게
바로 일기 쓰기라는
즐거운 습관 아닐까요.
여성에게 기분 좋은
편지를 쓰는 특별한
재능이 있다는 건 모두가
인정하는 바지요. 물론
타고난 것도 있겠지만,
난 근본적으로 꾸준히
일기를 쓰는 습관
덕분이라고 생각합니다.

제인 오스틴, 『노생거 수도원』(시공사, 2016)

061

국민학교 4학년부터 6학년까지의 일기장이 있다. 그러니까 1982년부터 1984년까지의 기록이다. 당시 학교에서는 일기 쓰기를 몹시 강조했고, 그 일환에서였는지 4학년 때부터는 아예 일기장을 철심으로 이어서 일기장을 다 써도, 학년이 바뀌어도 계속 연결되게 했다. 오래된 일기장은 이제 거의 갈색으로 바랜 부분도 있고, 여차하면 파사삭 부서질 것처럼 삭은 부분도 있다. 아주 오랜만에 조심히 넘겨 보니 단순히 일기 내용 이외에도 '나의 기본생활 길잡이 카드'나 선생님의 '지도 내용' 같은 기록도 남아 있고, 일기 쓰기가 너무 싫은 날 대체하기 위해 많이 지었던 동시, 과감히 참고서의 한 부분을 오려 내 붙이거나 모르는 단어를 사전에서 찾아 옮겨 적는 분량 채우기 기술을 볼 수 있어 새삼 넘겨 보는 재미가 쏠쏠했다. "12월이 되면 눈도 내리고 얼음도 얼겠지. 우리 집에 얼음 얼면 내가 망치로 모조리 두들겨 깨 버려야지" 하는 내 어릴 적 격렬한 소녀 감성도 만나고.

제인 오스틴은 『노생거 수도원』에서 "자연스러운 문체의 형성에 크게 기여하는 것이 일기 쓰기라는 즐거운 습관"이라고 의견을 피력한 바 있는데, 어릴 적 일기 쓰기가 자연스러운 문체 형성에 효과를 미쳤는지는 모르겠으나, 그 뒤에도 하루의 기록을 남기는 습관이 계속 이어지는 데는 확실히 기여한 것 같다. 일기를 쓸 때는 다소 자질구레해 보이더라도 아주 단순한 그날그날의 기록도 남기는 것이 좋다. 감정이나 감성의 측면에서만 쓴 일기는 아주 오래 지나서 보면 도대체 무슨 일이 있었던 건지 알 수 없어 답답하고 안타깝다.

1844년부터 1850년까지
키르케고르의 비서를 지낸
이스라엘 레빈의 기억에
따르면, 키르케고르에게는
"최소한 50세트의
잔과 받침이 있었지만
한 가지 종류의 것이었다."
또 레빈은 주인에게 커피를
갖다주기 전에 그날
마음에 드는 잔과 받침을
선택해야 했고, 이상하게
들리겠지만 그렇게 선택한
이유를 키르케고르에게
합리적으로 설명해야 했다.

메이슨 커리, 『리추얼』(책읽는수요일, 2014)

『책과 책방의 미래』등을 번역한 권정애 선생님은 내가 만난 번역가 중에 가장 재주꾼이다. 작업실에서는 번역을 하고 대학에서는 일본어 강의를 하며 싱어송라이터로 활동하는 '동네가수', 단편 소설도 쓰는 '동네작가'이자, 봉봉커피라는 작은 카페를 운영하는 '봉봉마담'이기도 했다. 아쉽게도 봉봉커피는 2019년 11월에 문을 닫았지만 2017년 봄에 문을 열었을 때부터 뻔질나게 그 공간에 드나들었다. 봉봉마담이 내려 주는 커피와 LP판, 빈티지 잔이 어우러진 공간이었다. 처음에는 의뢰한 번역 작업 때문에 드나들었고 나중에는 볼일이 없어도 퇴근길에 그곳에 들러 커피 한 잔을 앞에 두고 멍하니 앉아 하루의 피곤을 털고 가는 것이 습관이 되었다.

봉봉커피의 또 하나의 재미는 봉봉마담이 그날의 분위기나 손님의 느낌에 따라 커피 잔과 받침을 골라서 차를 내준다는 것이다. 나는 키르케고르처럼 합리적인 설명까지는 듣지 못하고 "제 마음대로예요" 하는 답변으로 마담의 마음을 짐작만 해야 하는 처지였지만, 오늘은 어떤 분위기의 잔이 내 분위기와 닮았을까, 왜일까, 가늠해 보는 즐거움이 있었다. 언젠가부터 내 앞에는 항상 코발트딥블루색의 심플한 잔이 전용 잔처럼 놓였지만, 아주 간혹 분홍 꽃잎이 어우러진 화사한 잔이나 차분한 옥색의 고풍스러운 잔처럼 아주 다른 느낌의 잔이 놓였는데, 그러면 그것만으로도 기분이 새롭고 재밌기도 했다. 물론 그때도 합리적 설명은 듣지 못했다. 그건 전적으로 봉봉마담 마음이다. 내 의지와 상관없는 타인의 습관으로 내 기분까지 새로워지던 그 흔치 않던 날이 그립다.

걷기와 마찬가지로
요리도 한번 해 보면
일종의 관성이 붙어서
계속하게 된다. 내가
먹는 밥에 나의 시간을
들이는 일은 짐작보다
훨씬 충만한 일이다.

하정우, 『걷는 사람, 하정우』(문학동네, 2018)

십 년이나 1인 가구 생활을 했는데 요리는 젬병이다. 요리는커녕 집에서 뭘 먹을 때 대충 먹는 것이 버릇이 되었다. 프라이팬에 밥을 볶으면 그릇에 담지 않고 그냥 먹는 것이 예사였다. 그러다 '먹는 일'을 새롭게 생각하게 된 계기가 생겼다.

어느 날 J가 문득 다이어트를 시작했다고 선언했다. 그와 함께 잘 어울리던 K선배와 나도 그의 선언에 충동적으로 "우리도!"를 외쳐 '다웃 재미'가 결성되었다. 서로 다른 곳에서 다른 일을 하는 우리는 단톡방을 만들어 그 순간부터 각자 먹는 음식 사진을 모두 올리고 운동 기록을 공유하고, 정한 기간에 목표치 감량에 성공하는 사람에게는 원하는 선물을 해 주기로 했다.

이 다이어트 과정에서 내게 획기적인 변화가 일어났다. 하루 두 끼 인스턴트 위주였던 먹거리가 세 끼의 직접 차리는 먹거리로 바뀌었고 사진을 올려야 하니 자연히 음식을 그릇에 보기 좋게 담아서 먹게 된 것이다. 다이어트 전에도 가끔 볶던 파프리카와 버섯을 볶으면서도 채소 손질법이나 기름, 바질이니 후추니 하는 향신료에 대해 생각하고 내 몸에 대해서도 생각하게 되었다. 또 그것들을 접시에 담아 한 끼니로 내 앞에 놓으니, '찰칵' 사진 한 장 찍자고 한 행동에 생각지 않은 의미가 생겼다. 음식 재료를 준비하고, 조리하고, 먹는 시간에 정성을 들이는 것이 생각보다 기분이 좋았고, 내가 나를 챙긴다는 느낌도 소중했다. 배우 하정우 씨의 "내가 먹는 밥에 나의 시간을 들이는 일은 짐작보다 훨씬 충만한 일이다"라는 말에 공감한다. 찌개니 나물 반찬이니 해서 소박하게라도 한 상을 차리는 건 요원한 일이었지만, 이 다이어트 시기엔 항상 몸과 마음이 든든했다. 하루 한 끼 정도는 "내가 먹는 밥에 나의 시간을 들이는 일" 습관 삼기를 전국 1인 가구 가장들에게 꼭 당부하고 싶다.

책을 읽는 습관을
가지고 싶다면 먼저
책상부터 마련하라.

김미경(기업인)

064

아침에 기상 후 잠자리에서 벌떡 일어나 바로 세면대로 가는 사람 A가 있는가 하면, 침대를 차마 벗어나지 못하고 뭉그적대다 그러고도 일어서지 못하고 침대에 엉덩이를 걸친 채 멍을 때리다 겨우 세면대로 가는 사람 B도 있다. 옳고 그름의 문제는 아니고 다른 스타일이라는 시각에서 이야기하고 싶다. 이런 두 유형의 사람을 가정해 보면 이들의 행동 양식에 따라 (개인의 취향과 별개로) 두 사람의 방을 채우는 사물이 달라질 수 있다. A는 침대 옆 러그의 필요성은 생각할 필요조차 없다. B는 늘 그렇듯 침대에 걸터앉아 멍 때리던 어느 겨울 아침에 생각할 것이다. '아, 발 시려.' 그리고는 아마 출근길에 '침대 러그'를 검색할 수도 있을 테다.

아주 단순화한 예지만, 어쨌든 이들의 침대 옆을 채울 물건이 다를 것을 짐작해 보면 무심히 하는 행동 하나, 사소한 습관 하나로 내 주변의 환경이 이미 달라졌거나 앞으로 달라질 수 있다는 것을 알 수 있다. 원하는 풍경을 구현하기 위해 내 행동 양식을 수정할 수도 있고, 내 행동 양식을 수정해서 원하는 풍경을 실현할 수도 있다. 지금 주위를 한번 둘러보시길. 혹시 내 습관의 결과로 만들어진 풍경이 있는가? 있다면 내가 선호하는 풍경인가?

'저런 러그가 언제부터 침대 옆에 있는 거지?' 문득 생소한 풍경에 하는 생각이다. 나는 휑한 공간을 선호하는 편이다. 다시 선택한다면 내가 원하는 것은 기상 후 행동 습관을 바꾸는 수고를 하더라도 저 러그가 없는 풍경이다.

두 가지 물건만은 좀머
아저씨가 여름이나
겨울이나 상관없이 항상
가지고 다녔다. 그것들을
가지고 있지 않은 그를
본 사람은 일찍이 아무도
없었다. 그중의 하나는
지팡이였고, 다른 하나는
배낭이었다.

파트리크 쥐스킨트, 『좀머 씨 이야기』(열린책들, 1999)

"자판기 커피를 보니 갑자기 네 생각이 났어. 잘 지내지?" "오 랜만에 떡볶이 먹으러 오니 네 생각난다. 우리 언제 봐?" 자판 기 커피, 떡볶이, 만년필, 특정한 향기 같은 걸 만나면 떠오르 는 사람이 있다. 나는 어느 후배의 집에서 '시나몬 선배'로 지칭 된다. 시나몬 넣은 빵을 유난히 잘 먹었다는 이유로. 어느 한때 즐겨 마시던 음료, 자주 찾던 장소, 그만의 향기 같은 것들로 사 람은 사람에게 기억되기도 한다. 따지고 보면 그런 것들은 모두 습관의 주제다. 습관처럼 즐겨 마시던 무엇, 즐겨 찾던 곳, 자 주 사용하던 그 무엇.

흥미로운 것은 내가 선호하는 나만의 특별한 버릇, 취향, 성취, 색깔의 이미지와 '상관없는' 모습으로 내가 타인에게 새 겨질 수도 있다는 것이다. 습관이나 버릇에는 긍정적인 것만 있 는 건 아니라서 오히려 들키기 싫고 없애고 싶은 부정적인 이미 지도 있으니 말이다. 또 다른 한편으로 "○○만 보면 네가 생각 나"라는 누군가의 말을 들으며 "응? 왜?" 하며 당최 이유를 짐 작할 수 없을 때도 있다.

아무튼 동일한 사람의 특정한 정보인데 사람마다 연상되는 이미지가 다를 수 있다는 것은 분명하다. 혹시 누군가에게 특정 한 이미지로 기억된다면 풍부한 카푸치노보다는 담담한 아메리 카노, 차분한 인문서보다는 경쾌한 만화책의 이미지이기를……
하는 내 바람이 있더라도 보통 그런 타인의 기억은 그 사람만의 시간과 식견, 경험치와 버무려져 형성되는 것이라 나 자신은 관 여할 수 없다. 행여 애를 써서 기어이 내 어떤 이미지를 누군가 에게 심고 싶다면 그건 너무 기약 없는 일이니 말리고 싶다.

우리는 최신 유행
브랜드의 삶이 아니라
정다운 물건으로 채워진
소박하고 단순한 삶을
원했다. 부엌과 거실,
침실 가구를 갖춰 놓고
월세를 주는 제도가
자리 잡은 영국에서 하도
여러 곳을 전전하다
보니 가구는 소유보다는
사용이 중요하다는 걸
깨닫게 되었다.

박규리, 『아무튼, 딱따구리』(위고, 2018)

가장 마지막 이삿짐을 쌀 때 빨간 자루에 노란 글씨로 '농협카드'라고 적힌 과도 한 자루가 유난히 눈에 박혔다. 직장을 옮기며 처음 대구 집에서 서울로 올라갈 때 챙겨 간 칼로 나의 유일한 칼이다. 수저 한 벌, 밥그릇 하나, 국그릇 하나, 접시 하나를 달랑 챙겼더니 아무리 혼자 산다고 그렇게 챙기냐며 엄마가 기함하셨다. 나도 더 기함하며 짐을 안 늘릴 거라고 방방 뛰어서 겨우 수저 한 벌씩만 더 넣었는데, 과도랑 냄비, 도마 한 개가 나 몰래 따라왔다. 칼도 냄비도 도마도 생각지 못했는데 따라와서 다행이었다. 그 후로 살다 보니 크기가 다른 접시 두 개와 후배가 보내 준 미니 전기밥솥, 전기 포트 등 어쩔 수 없이 늘어난 살림도 있지만, 그때의 살림이 마지막 이삿짐에도 거의 그대로 실렸다.

유난히 과도가 눈에 들어왔던 건 아무리 1인 가구라고 해도 십 년 동안 살림을 했는데 과도 하나로 충분했다는 것이 가능한 일인가, 아님 뭔가 잘못 살았던 것인가, 문득 의문이 들어서였다. 그런데 금방 생각이 말끔해졌다. 내 앞의 홍보기념품 과도 한 자루가 어떤 럭셔리 브랜드 칼보다 나만의 살림 칼로 귀하고 정겹고 뿌듯하게 생각되었다. '그런 건 있어야겠지' 하며 별 고민 없이 필요하지도 않은 물건을 관성적으로 사지 않았던 십 년 전의 나를 칭찬한다. 무의식적인 습관처럼 내리는 우리의 결정 중에는 인지하는 순간 반대로 선택할 것이 분명한 것이 꽤 있다. 물론 '살아가는 데 필요한 것'의 목록 중에도 많다.

이런 생각이 든 것은 최근에 읽은 박규리 작가의 『아무튼, 딱따구리』의 영향이다. "딱따구리를 애호하는 삶이란 어떤 삶일까?" 하는 질문과 '지속가능성'이라는 화두를 던지며 내 물건과 생활방식을 새삼 둘러보게 한 덕분이다.

우리가 하는 것, 우리가
하기를 미루는 것,
우리가 언젠가 하기로
계획하는 것, 이 모든
것들이 우리를 정의한다.
우리가 왜 그 일을
하고 있거나 하지 않고
있는지 스스로도 온전히
이해하지는 못하더라도
말이다.

앤드루 산텔라, 『미루기의 천재들』(어크로스, 2019)

작가, 번역가, 디자이너 등 여러 사람과 함께 일하면 저마다 가지고 있는 '마감 습관'이 드러난다. 이런 스타일을 '습관'이라고 표현한 것은 대부분 그 스타일이 반복되기 때문이다. 마감일에 맞추어 칼 같이 원고를 보내는 사람은 매번 정확히 시간을 지키고, 마감을 넘기는 사람은 거의 매번 말미를 더 요구한다. 창작이든 번역이든 아무리 시급해도 한 글자도 안 써질 때가 있는 걸 서로 너무 잘 아는 처지라 대체로는 일정을 조정한다.

이런 이야기를 풀다 보니 고백을 안 할 수가 없다. 그래도 청탁 원고 마감은 한 번도 어긴 적이 없었는데, 이 책의 원고를 쓰면서 출판사 대표님께 한 달의 말미를 더 청했었다. 마감이 한 달 정도 남은 시점이었는데, 도저히 맞출 수 없을 것 같아 메일을 썼고 다행히 양해해 주셨다.

"아, 이거랑 저거를 잘만 엮으면 괜찮을 것 같은데 말이죠. 이젠 머리도 녹이 슬어서…… 무엇보다 자료가 부족해, 자료가" 하며 진도가 안 나간다고 하소연하는 작가께 "아뇨, 선생님. 자료가 부족한 게 아니에요. 선생님께 필요한 건 마감입니다. 일단 마감 날짜를 정하시죠" 하며 '마감 만능 해결의 법칙'을 떠들어 왔던 나의 과거가 뇌리를 스친다. 그래도 언제든 예기치 못한 일은 생기는 거라고 스스로 변명할밖에.

자신만의 작업 습관이어도 그것이 함께 일하는 사람에게 치명적인 피해가 된다면 어떤 방법이든 새로이 강구해야 한다. 시 해설을 의뢰했던 원로 평론가께 몹시 황당한 방식으로 크게 뒤통수를 맞은 경험이 있다. 사람이 하는 일이니 언제든 돌발 상황이 생길 수 있어도 최소한 예의는 지켜야 한다. 그것은 사정의 문제가 아니라 태도의 문제다. 거친 언사만 무례가 아니다. 일의 방식 자체가 무례한 것일 수 있다. 기본적인 룰은 지키며 살려고 노력한다. 솔직함과 용기가 필요한 일이긴 하다.

"늘 하던 대로"라는 말은
그녀의 가슴속에 달콤한
꿀처럼 녹아내렸다. 그건
앞으로도 그들의 관계가
계속되리라는 의미였다.

르 클레지오, 『허기의 간주곡』(문학동네, 2010)

068

"늘 하던 대로"라는 말은 누군가에게는 꿀처럼 녹아내릴 달콤한 말이겠지만, 누군가에게는 뛰어넘지 못하는 절망일 수 있다. 앞으로도 관계가 '계속'될 것에 누군가는 안도하고 누군가는 고뇌하는 것처럼.

늘 하던 대로 계속되던 관계가 정지할 때 난감한 것이 "늘 하던 대로" 할 때 생긴 습관이다. 사람과 사람의 관계는 엮이는 동안은 어쩔 수 없이 서로 영향을 주고받는 것이라 서로 상대에게 영향받은 습관이 생기기 마련이다. '솔직히', '그런데 말이야', '그럼에도' 하고 말을 시작하던 상대방의 말투나 무안하거나 곤란할 때 짓던 싱거운 웃음 같은 표정이나 몸짓까지, 언제 전염된 것인지 이미 내 것이 된 것들에 우리는 뒤늦게 당황한다. 별것 아니어도 쉽사리 지우기 어려운, 내 것도 네 것도 아닌 거북한 습관이 있다.

사치에 대한 욕구는
보들레르 식으로
말한다면 인간 정신의
불멸성에 관한 증거다.
이런 거창한 말이
아니더라도 생존 밖으로
넘치는 것이 하나라도
있어야 삶이 삶이다.
하다못해 연필이라도
좋은 것을 사서
써야 한다.

황현산, 『내가 모르는 것이 참 많다』(난다, 2019)

"난 원체 무용無用하고 아름다운 것을 좋아하오. 달, 별, 꽃, 웃음, 농담, 그런 것들 말이오"라는 어느 배우의 대사를 듣는 순간, 마음이 반짝반짝하고 환해지는 것 같았다. 평소 낄낄거리며 쓰던 '예쁜 쓰레기'라는 말도 떠올랐다. 아무 쓸모 없으나 기어이 우리 마음과 지갑을 열게 하는, 누구에게나 하나쯤은 있는 그 치명적 매력의 '예쁘지만 쓸모없는 것들' 말이다. 예쁜 '쓰레기'라고 그 무용함을 한탄하지만, 나 또한 그 무용하고 아름다운 것이 좋고, 무엇보다 그런 것을 좋아하는 마음을 만나는 것도 좋다.

합리성이나 실용성에서 한참 경쟁력이 밀리지만 그런데도 마음 한쪽을 뺏겨 한 자리를 채우는 것을 어떤 사람은 어리석음이나 사치 혹은 낭비라고 말한다. 하지만 "생존 밖으로 넘치는 것이 하나라도 있어야 삶이 삶"이라고 하신 황현산 선생님의 말씀처럼 내 마음에 윤기를 흐르게 하는 것이 먹고사는 분수에 좀 넘치는 것이어도 그런 것 하나쯤 있어야 사는 것이 사는 것 같지 않을까. 팍팍한 시간에도 꽃 한 송이를 떠올리고, "하다못해 연필이라도 좋은 것을 사서" 쓰는 마음의 여유를 잃지 않으려는 사람이 좋다. 그렇게 반들반들 마음에 윤기를 내는 습성은 잊어버리지 않았으면 싶다. 나이를 먹으며 손바닥만 한 여유를 지키지 못해 마음 사나워지는 일 없도록.

균형 잡힌 삶을
사는 데는 습관의 역할이
무엇보다 중요하다.
신앙심 깊은 사람들은
문자 그대로 습관을
옷처럼 입고 산다.
대부분의 사람들은
중요한 일보다는 사소한
일에 습관적으로
행동할 때가 많다.

메리 올리버, 『완벽한 날들』(마음산책, 2013)

거실 생활자 6개월 차에 나의 수면 시간은 엉망이 되었다. 회사에 다닐 때는 늦어도 새벽 1~2시에는 잠자리에 들고 대략 여섯 시간 후 오전 7~8시에는 기상했는데, 지금은 밤을 새워서 오전 6~7시에 잠자리에 들기가 예사이고 평상시에도 새벽 3~4시에 잠자리에 들어 아침 9~10시가 되어야 일어난다. 그렇게 일어나면 수면 시간은 비슷해도 왜인지 몇 배로 피곤해 일어나도 한참을 잠자리에서 뭉그적거린다.

문제다 싶어 취침·기상 습관을 위한 정보를 찾다가 '습관 형성을 돕는 앱'으로 꽤 널리 알려져 있는 '챌린저스'라는 앱을 다운로드했다. 같은 습관을 갖고 싶어하는 사람들을 결집시키고 공통의 목표 습관을 정해서 함께 달성하게 하는 프로그램이다. 여기에 조금 독특한 기능이 한 가지 더 있다. "돈을 걸면 습관이 만들어진다!" 목표로 삼은 습관에 1만 원 정도의 참가비를 거는 것이다. 스스로 설정한 목표 달성 기간 내에 정한 습관을 85퍼센트 이상 달성하면 참가비 전액을 환급 받을 수 있고, 100퍼센트 달성하면 추가로 상금이 지급되는 즉각 보상 시스템이 갖추어져 있다. 그냥 혼자 목표를 세우고 도전하면 되지 엉뚱하게 거기에 왜 돈을 거냐고 생각할 수도 있겠지만, 제법 효과가 있는지 반응이 좋았다. 참가자들의 평균 목표 달성률도 91.2퍼센트로 꽤 높다. 참가자들은 생활 습관도 생활 습관이지만 가장 큰 변화로 자존감 상승을 든다. 사람들이 많이 도전하는 습관은 '하루 여섯 잔 물 마시기', '아침 6시에 일어나기', '하루 한 시간 공부'처럼 간단한 것들이다. 나도 '아침 6시에 일어나기'에 도전해 취침 시간과 기상 시간을 한 번에 관리할까 싶었는데, 사람들이 많이 도전하는 습관 중 '아침 6시에 일어나기'가 목표 달성률이 가장 낮단다. 첫 도전은 실패하고 싶지 않아 신청을 망설이고 있다.

여왕은 어떤 책을 읽으면
그 책이 길잡이가
되어 다른 책으로
이끈다는 것도 깨닫게
되었다. 고개를 돌리는
곳마다 문들이 계속
열렸고, 바라는 만큼
책을 읽기에는 하루가
너무 짧았다.

앨런 베넷, 『일반적이지 않은 독자』(문학동네, 2010)

071

주위 사람들에게 자기 아이에게 어떤 습관이 있으면 좋겠냐고 물으니 정리 습관, 부지런한 습관, 시간을 잘 지키는 습관 등 여러 대답이 나오는데, 거의 공통인 것이 독서 습관 혹은 공부 습관이다. 아이가 좀 어리면 독서 습관이라고 말하고, 중·고등학생쯤 되면 공부 습관이라고 말하는 것도 흥미롭다. 어쨌건 어느 집이나 우리 집 아이가 '스마트폰이나 유튜브 같은 것' 말고 책과 가까웠으면 하는 것이 공통의 바람이다. 그래서인지 요즘은 관련한 주제의 강의도 많이 열리고 책도 많다.

마침 첫째 조카가 아홉 살이라 손이 갔던 한미화 선생님의 『아홉 살 독서 수업』은 아이들이 가벼운 읽기에서 멈추지 않고 숙련된 독자로 크기 위해 특히 중요한 저학년 시기의 독서 습관을 다룬 책이다. 개인적으로 "초등 저학년 아이들은 부모가 강요하지 않아도 알아서 반복 독서를 한다. 좋아하는 책을 여러 번 읽어 달라고 조르거나 글을 읽지 못해도 책장을 넘겨 가며 그림이라도 반복해서 본다. 반복보다 중요한 것은 좋아하는 마음"이라는 구절이 퍽 인상 깊었다. 어린 조카가 매번 같은 책(좋아하는 곤충이나 공룡 책)을 내밀며 읽어 달라고 하면 "이건 저번에 읽었잖아. 오늘은 다른 책 읽을까?" 하고 말하곤 했는데, 나름 반복 독서 기능을 장착한 것을 몰라봤구나 싶어 '아차' 했다.

책 읽는 습관은 아이에게 심어 주고 싶은 습관이기도 하지만 많은 성인도 가지길 원하는 습관이다. 습관을 형성하는 동기는 역시 재미와 보상이다. 무슨 무슨 추천 도서니 필독서니 하는 것보다는 아이들이 좋아하는 책을 즐겁게 읽도록 환경과 경험을 마련해 주는 것이 중요하듯 어른도 자기만의 즐거운 독서 방법을 찾거나 환경을 만들 필요가 있다. 아이나 어른이나 습관 형성이 어렵기는 매한가지지만 말이다.

사람들의 습관만큼
개혁이 필요한 것은
없다.

마크 트웨인

072

퍽 난감한 원고를 만났다. 우리 신체 기관들을 소재로 여러 작가가 쓴 글을 엮은 에세이집인데, 소재와 내용이 새롭고 흥미로워서 원고에서 자세히 다루지 않은 부분까지 자꾸 재미로 검색하게 된다. 검색해서 필요한 부분만 확인하고 재빨리 원래 작업으로 돌아오면 아무 문제가 없겠지만 검색한 부분을 읽다 또 흥미로운 내용을 보면 새로운 검색을 하고, 거기서 언급된 역사적 사건이 궁금하면(이쯤이면 이미 작업과는 상관없는 내용이다) 또 다른 검색을 한다. 그러다 보면 궁금한 인물이 나타나고, 그걸 또 검색하다 보면 어느새 온라인 서점에 들어가 있다. 그러니 겨우 두 문장을 보는 데 한나절을 다 보내는 날도 있다.

그래도 이 경우는 그나마 좀 낫다. 정말 없애고 싶은 버릇은 일하다 순식간에 한눈팔려 웹서핑을 하는 것이다. 클릭, 클릭, 몇 번 하다 보면 어느 순간 SNS 타임라인을 보고 있거나 정치·연예 뉴스가 떠 있다. 그때 느끼는 자괴감은 말해 무엇하랴. 빨리 정신 차리고 제자리로 돌아오는 수밖에 없다. 10분 정도 작정하고 휴식할 때도 마찬가지다. 자리로 돌아와 바로 일을 시작하는 것이 아니라 어디까지 했나 하며 무심코 검색창을 열었다 한참 헤맨다. 미국 캘리포니아대학의 글로리아 마크 교수에 따르면, "일반적으로 업무 도중 방해로 일이 중단되었을 때 다시 집중하는 데 걸리는 시간이 평균 23분 15초"라고 한다. 결코 짧은 시간이 아니다. 오히라 노부타카와 오히라 아사코는 『작은 습관, 루틴』이라는 책에서 휴식 후 곧바로 일을 시작하는 요령 한 가지를 소개했다. 휴식 후 해야 할 작업 딱 한 가지를 메모해 눈길 가는 데 붙여 놓고 쉬는 것이다. 어디까지 했더라, 하다가 딴 길로 잘 새는 이들에게 아주 효과적인 방법인 것 같다.

습관은 모든 것을
단조롭게 보이게 만들어
잠을 불러온다. 관점을
완전히 바꾸면 잠에서
다시 깨어날 수 있다.

사라 베이크웰, 『어떻게 살 것인가』(책읽는수요일, 2012)

073

16세기 프랑스의 대다수 사람처럼 몽테뉴도 식민지 정복에는 냉소적이었지만, 신대륙(아메리카)에서 들어온 문물이나 문화에는 호기심과 매력을 느꼈다. 그래서 관련된 기념품이나 진기한 물건을 수집하고 가능한 한 거의 모든 자료를 읽었으며, 특히 전 세계 곳곳의 다양하고 기이한 관습에 경탄하여, 아이가 열두 살이 될 때까지 젖을 먹인다거나 품위 없는 하얀 이를 감추려 치아를 검게 칠한다거나 인육을 먹거나 사람을 제물로 바치는 관습 등 각국의 기이하고 다양한 관습을 「관습에 대하여」, 「옛 관습에 대하여」 등의 에세이에 남겼다고 한다.

몽테뉴는 이렇게 여러 나라의 다양한 관습을 살피는 것으로 "우리 자신의 존재를 다른 시각에서 되돌아보게 되고, 우리의 관습도 다른 사람들의 관습만큼이나 괴이하다는 사실"에 눈뜰 수 있다고 생각했다. 관점을 바꾸어 본다는 것은 기꺼이 나와 다른 사람의 모습을 동일하게 비추어 볼 수 있다는 의미다. "인습을 무시하고 화석화된 습관에서 벗어나려는" 몽테뉴의 욕구는 타성에 젖은 잠에서 깨어나려는 노력과 같다. 나의 관점이 사회적인 인습에 익숙해져 가수면 상태에 빠진 것은 아닌지 한 번씩 머리를 흔들어 각성할 일이다. 또한 깨어 있어야 자신의 모습도 정확히 볼 수 있다.

명랑하기는 성격만으로
되는 일이 아닌 것 같다.
명랑하기는 윤리이기도
할 것이다. 늘 희망을
가지려고 애쓰고 다른
사람들을 사랑해야만
명랑할 수 있지 않을까.

황현산, 『내가 모르는 것이 참 많다』(난다, 2019)

사람은 누구나 자기만의 어둠과 밝음을 가지고 있을 텐데, 어떤 이는 어둠을 더 드러내고 싶어 하고 어떤 이는 밝음을 더 드러내고 싶어 한다. 사람에 따라 드러내고 싶은 기운과 드러나는 기운이 동일하지 않을 때도 있다. 그리고 어느 한쪽으로 극단적인 경우는 드물고 대부분은 흐렸다 맑았다 어두웠다 밝았다 하는 것이 보통 사람의 성향일 것이다. 일기장 한쪽에 별의별 어둠의 기운을 쏟아 놓는 '내'가 있는가 하면, 흐린 데 없이 밝고 유쾌한 명랑성을 추구하는 '나'도 있다. 그래, 누군가 내게 추구하는 것이 있느냐고 묻는다면 '명랑성'이라고 말하고 싶다. 좋아해서 실천하고 싶고 실천해서 내 것으로 만들고 싶은데 "명랑하기는 성격만으로 되는 일이 아닌 것 같다"라는 황현산 선생님의 글처럼, 살다 보면 '명랑하기'는 녹록지 않은 일이다. 아직 한참은 내공을 더 쌓아야 내가 원하는 만큼의 명랑성을 획득할 수 있을 것 같다.

"웃음은 정신이다. 프로이트는 그 정신을 '유머어'라고 부르고 니체는 '명랑성'이라고 불렀다. 나에게 그것은 '자긍심'이다. 나는 나를 자랑스럽게 긍정한다. 나의 정신은 늘 철없어서 즐거운 정신이다"라는 철학자 김진영 선생님의 글(『아침의 피아노』, 한겨레출판, 2018)을 읽으며 가눌 길 없이 가슴이 먹먹했다.

때로 타인의 '명랑성'이나 '명랑하려는 노력'을 만날 때가 있는데, 그러면 나는 간도 쓸개도 다 빼 주고 싶다. 그런 노력은 드러내는 것도 주장하는 것도 아니지만 아주 짧은 순간 저절로 알아챌 수 있다. 아주 간혹 그런 명랑한 휴머니스트를 만나면 마음이 벅차다. 내게는 그 벅찬 애정을 구박으로 표현하는 몹쓸 습관이 있다.

정원을 가꾼다는 말이
있듯이 서재를 가꾼다는
말이 있으면 좋겠다.

박균호, 『독서만담』(북바이북, 2017)

O75

책을 읽는 습관도 있지만 사는 습관도 있다. 서점에 나가 책을 사면 생각지도 못한 보물 같은 책을 발견하는 쏠쏠한 재미가 있다. '오옷, 이런 책이 있었어?' 하며 데려올 때의 뿌듯함이란! 서점에서는 그런 의외의 발견을 하는 재미가 최고다. 나는 과일 중에 사과를 좋아하는데, 마트에서 상처 없이 반들반들하게 잘 포장된 사과를 살 때의 기분이 온라인 서점 사이트에서 책을 사는 느낌이라면 사과 농장에서 모양이 제각각인 열매 가운데 내가 직접 쏙쏙 골라낸 먹음직스러운 사과를 딸 때의 기분이 서점에서 책을 사는 느낌과 같지 않을까 싶다.

편리함으로는 온라인 서점이 최고다. 필요한 책이 있으면 새벽 2~3시에도 주문할 수 있고, 그렇게 주문하면 가만 앉아서 당일 오후에 책을 받기도 한다. 그런데 온라인 서점은 웹페이지의 한계가 있어 독자 입장에서는 살펴보는 책이 거의 비슷한 느낌이다. 정확히 필요한 책이 있을 때는 바로 주문해서 편히 받을 수 있어 좋은데, 특별히 필요한 책이 없을 때는 신간 위주의 한정된 범위 내에서 둘러본다는 단점이 있다. 특히 발행일이 많이 지난 책을 새롭게 발견할 기회가 적은 것이 아쉽다.

각설하고, 문제는 다 읽지도 못한 책이 쌓여 있는데도 온라인 서점에서, 오프라인 서점에서 자꾸 책을 사는 습관이다. 이제 독서가 취미가 아니라 책 사는 것이 취미라고 해야 할 판이다. 이런 죄책감이 쌓이던 중 한 출판사의 책갈피 굿즈에 쓰인 "읽을 책을 사는 게 아니라, 산 책 중에 읽는 것이다", "덮어놓고 사다 보면 언젠간 읽는다!"라는 문구는 생각하면 생각할수록 고마운 말이다. 덧붙여 "나는 이미 우리나라 출판계의 부흥을 위해서 할 만큼 했다고 자평한다. 책을 살 만큼 샀다"는 애서가 박균호 선생님에 비하면 나는 퍽 양호하다.

톨스토이는 『전쟁과
평화』를 한창 집필하던
1860년대 중반 가끔
쓰던 일기에서 이렇게
적었다. "나는 하루도
빠짐없이 글을 써야
한다. 성공적인 작품을
쓰기 위해서가 아니라
일상의 습관을 버리지
않기 위해서이다."

메이슨 커리, 『리추얼』(책읽는수요일, 2014)

나이가 들수록 코어 근육 운동을 하지 않으면 계속 허리도 아프고 구부정한 몸이 되는 거라고 물리치료사에게 진탕 잔소리를 들었다. 코어 근육은 우리 몸의 중심부인 척추, 복부, 골반을 지탱해 주는 중심 근육이다. 물리치료실을 나오며 허리가 좀 나으면 당장 플랭크를 시작하겠다고 다짐했다. '우선 1분이라도 매일 해야지. 이번엔 정말이야. 진짜로!' 굳게 결심했던 것이 작년 겨울의 일이다. 아파서 고생한 만큼 결심도 단단하다고 생각했는데, 좀 살 만하니 그 단단했던 결심은 어디로 날아가고 다시 방만하다. 나이를 먹을수록 근육이 아쉬운 건 사실인데 근육은 '운동을 밥 먹듯이 해야' 가질 수 있으니 그 성실함을 실천하기가 그렇게 어렵다.

우리 몸에 근육이 필요하듯 글쓰기에도 근육이 필요하다. 이 근육 또한 우리 몸의 근육을 만드는 것처럼 밥 먹듯이 써야 가질 수 있다. 하루도 빠짐없이 매일 하루 30분씩 글을 썼다는 거트루드 스타인, 30년 이상 매일 오전 8시부터 낮 12시 반까지 10페이지 분량의 글을 써 오고 있다는 베르나르 베르베르, 매일 새벽 4시에 일어나 오전 10시까지 쉬지 않고 글을 쓴다는 무라카미 하루키 외에도 많은 작가가 '밥 먹듯이' 규칙적으로 꾸준히 글을 쓴다. 강원국 작가는 SNS 글쓰기 단상에서 "글쓰기 근육이 없으면 오래 쓸 수도, 기술을 구사할 수도 없다. 습관적으로 써서 근육을 만드는 게 먼저다"라는 말을 남겼다. 꾸역꾸역 거듭거듭 습관적으로 '써야' 몸의 근육이든 글쓰기 근육이든 단단해진다.

하나의 새로운 습관이
우리가 전혀 알지 못하는
우리 내부의 낯선 것을
일깨울 수 있다.

앙투안 드 생텍쥐페리

077

습관에 관해 생각하다 보면 '나는 어떤 사람인가'를 자꾸 스스로 묻게 된다. 내게 어떤 좋은 습관이 있고 어떤 나쁜 습관이 있는지 곰곰 생각하면, 내가 어떤 행동을 자주 하고, 어떤 행동을 싫어하면서도 되풀이하고, 어떤 행동을 하길 원하는가, 하는 것으로 자연스레 생각이 이어진다. 그러니 그 결과 나는 어떤 사람인지 생각해 볼 수밖에 없다.

그것은 정체성의 문제와도 연결된다. 내가 청소를 자주 하는 습관이 있다면 나는 정돈된 것을 좋아하는 정체성의 사람일 것이고, 약속 시각을 자주 어기는 습관이 있다면 나는 책임감 없는 정체성의 사람일 것이고, 자주 가방 없이 빈손으로 외출하는 습관이 있다면 나는 거추장스러운 것을 싫어하는 정체성을 가진 사람일 것이다.

"그건 좋아한다면서 이건 싫다고? 왜?" 하는 소리를 한 번씩 듣는 편이다. 보통은 그것과 이것이 같은 종류거나 같은 부류라 어리둥절함을 낳고, 그건 좋고 이건 싫은 게 분명한데 그 이유는 나조차 납득이 안 되니 "아, 나도 모르겠다" 하기 일쑤다. 이런 나는 평소 정체성과 세계관이 좀 더 선명하기를 바라온 사람이다.

일상에서의 나의 행동은 모두 나 자신을 증명한다. 생텍쥐페리의 『어린 왕자』에서 어린 왕자는 여우를 길들이는 새로운 시도를 하면서 자신이 소행성 B612에 두고 왔던 장미의 특별함을 깨닫는다. 생각지 못한 "우리 내부의 낯선 것"은 달라진 행동 양식, 새로운 습관을 통해 뜻밖에 툭, 밖으로 드러나기도 한다.

먼저 우리가 나쁜 습관을
만들고, 그다음에는
그 나쁜 습관이 우리를
만든다. 나쁜 버릇을
고치지 않으면 결국
그것이 우리를 정복한다.

롭 길버트(스포츠 심리학자)

078

시각이나 후각, 청각 등의 우리 감각을 자극해 피로나 불쾌감을 느끼게 하는 감각 공해는 주로 생활과 밀접해 정신적·신체적 피로를 유발한다. 소음이나 진동, 악취, 빛 공해 같은 것들로 스트레스를 호소하는 이야기를 주위에서도 가끔 접하고 직접 겪기도 한다.

어쩔 수 없이 당해야 하는 감각 공해는 피해를 하소연할 수라도 있지만, 누굴 탓할 수도 없는 자발적 감각 공해도 있다. 오랜만에 만난 친구가 뉴스에 중독되었다고 하소연한다. 틈만 나면 휴대전화로 뉴스를 보는데, 그나마 낮에는 직장 생활을 하니 자제가 되지만 퇴근해 돌아와 집안일을 하고 나면 잠들기 직전까지 온갖 뉴스를 섭렵하는 습관이 생겨 큰일이라는 것이다. 자려고 불까지 끄고 누운 깜깜한 방에서 한 시간씩 전화기를 들여다보니 블루라이트 차단 기능을 켜고 안경을 블루라이트 차단 렌즈로 맞추면 뭐 하냐고, 점점 눈이 침침해지고 노안도 심해지는 것 같다며 울상이다. 나도 울상이다. 나도 잠들기 전 휴대전화를 보는 악성 습관을 버리지 못해 괴롭다. 특히 새벽까지 일을 한 날은 그날 열심히 일한 보상을 받는다는 기분으로 좋아하는 가수의 뮤직비디오도 보고 드라마도 보고 웹툰도 보며 늦게까지 모니터나 원고를 보며 침침해진 눈을 더 혹사한다. 인간은 시각에서 얻는 정보가 83퍼센트에 이른다. 그러니 혹사당하는 눈도 눈이고, 뇌의 입장에서도 정보가 계속 들어오니 그 피로도가 극에 달할 것이다. 취침 시 휴대전화를 아예 방으로 들이지 않겠다는 특단의 조치를 취하기 위해 드디어 자명종 시계를 주문했다.

한 어린 소녀가
황혼녘에 그녀의
어머니와 함께 해변에서
돌아온다. 그 아이는
아무것도 아닌 일로,
계속해서 더 놀고
싶었기 때문에, 울고
있다. 소녀가 멀어져
간다. 그녀는 벌써
길모퉁이를 돌아갔다.
그런데 우리들의 삶
또한 그 어린아이의
슬픔만큼이나 빨리
저녁 빛 속으로 지워져
버리는 것은 아닐까?

파트릭 모디아노, 『어두운 상점들의 거리』(문학동네, 2019)

079

바쁨도 습관일 수 있을까? 딱히 성공 지향적인 삶을 추구하며 치열하게 사는 성향도 아닌데 언젠가부터 바쁘다는 말을 입에 달고 살았다. 그다지 게으름을 피운 것 같지도 않은데 왜 항상 시간에 치여 허덕이는지, "그래, 언젠가는 꼭 날 잡아서"라며 친구와의 약속도, 다른 재밌거리도 자꾸 미루게 됐다. 그러던 어느 날, 출장길에 들른 디자인 사무실 책장에서 책 한 권이 눈에 와 꽂혔다. 『너무 바쁘다면 잘못 살고 있는 것이다』라는 제목의 그 책을 왜인지 펼쳐 보진 않았지만 제목이 계속 머릿속을 맴돌았다. 연말 즈음 친구가 해가 바뀌기 전에 얼굴이라도 보자는 연락을 해 왔는데, "네가 너무 바쁘니까……" 하는 친구의 지나는 말에 갑자기 창피함이 몰려왔다. "아니, 이제 하나도 안 바쁜데? 날만 정해. 맞추면 돼" 하고 호기를 부렸지만, 사실 그때도 나는 일에 허덕이고 시간에 치이고 있었다. 정말이지 매번 바쁘다고 말하는 것이 부끄러웠다. 분명 내 시간인데 제대로 가져 보지도 못하고 잃어버렸다는 상실감에 무력했다.

그게 무엇이건 '너무'인 상태는 정상이 아니다. '너무'는 "일정한 정도나 한계를 훨씬 넘어선 상태"라는 사전적 의미를 가진 단어다. '너무'나 '훨씬' 같은 유의 말은 정상의 범위를 벗어난 '과한' 부사들이다. 뭐가 잘못됐을까. 내 시간에 대한 통제력을 잃었다는 생각이 들었다. 당시엔 선택과 집중을 잘하자고 막연히 생각했다. 집중력이 떨어져 시간을 효율적으로 사용하지 못한 결과라고 생각되어 자책만 했는데, 이제 나의 습관을 점검해야겠다는 생각이 든다. '시간을 효율적으로 쓰자'라는 추상적인 목표보다 A에 몇 시간을 쓰고 B에 몇 분을 쓰고 C에서는 시간을 거두겠다는 구체적인 계획을 몸에 배게 익히면 '여유'도 구체적으로 확보될 것 같다. 추측형인 건 아직 실행에 옮기지 못해서이다. 사람 참 안 변한다.

태곳적부터 인간은 어떤
문제로 고민을 할 때
그 문제에 대해 하룻밤
자면서 생각하는 편이
현명하다는 사실을
깨달았다. 중세 시인들은
몇 번이고 잠든 척을
하면서 자신의 시에 대해
꿈을 꾸었다.

F. L. 루카스, 『좋은 산문의 길, 스타일』(메멘토, 2018)

작가 중에는 특별한 집필 습관으로 유명한 이들이 있다. 루소는 『에밀』에서 "어린아이에게 가르쳐야 할 습관 중 하나는 어떤 습관에도 물들지 않는 것"이라고 말했지만, 자신은 손에 펜을 쥐고 있으면 글을 쓰지 못하는 습관이 있었다고 한다(그럼 대체 글을 어떻게 썼다는 것인지는 찾을 수가 없다). 반면 19세기 프랑스 낭만파 문학의 선구자 샤토브리앙은 손에 펜을 쥐고 있어야 글을 쓸 수 있었다. 월터 스콧은 초고를 읽지도 않고 인쇄업자에게 넘길 수 있었던 작가인 반면, 발자크는 "불같이 서두르는 성질에도" 불구하고 스물일곱 번씩이나 교정쇄를 보는 끈질기고 사치스러운 습관 탓에 빚더미에 앉았다(당시에는 교정쇄마다 비용이 추가되었다). 제인 오스틴은 미완성의 글을 누가 보는 걸 극도로 싫어해 집필 중일 때는 가족조차 그녀의 방에 들어가지 못했지만, 동화작가 엘윈 브룩스 화이트는 온 가족이 수시로 오가며 생활하는 거실 한복판에서 글을 썼다. 그러면서 화이트는 "글쓰기를 위한 이상적인 환경이 갖춰지기를 기다리는 작가는 한 글자도 쓰지 못하고 죽을 것"이라고 했다니 궁극의 집중력이라고 인정할 만하다. 또한 야간에는 절대 글을 쓰지 않고 햇빛이 있을 때만 글을 쓴다는 귄터 그라스 같은 작가가 있는가 하면, 불면증에도 불구하고 밤에 잠이 깨면 마치 훔친 시간처럼 하루 28시간을 가진 듯한 기분으로 글을 읽고 쓴다고 한 메릴린 로빈슨 같은 작가도 있다.

작가마다 자신만의 다양한 습관이 있지만 공통되는 것은 '계속 썼다'는 것이다. 그 꾸준함을 영국의 소설가이자 평론가인 V. S. 프리쳇은 "우리처럼 평범한 사람을 낙담하게 만드는 근면함"이라고 표현했다.

고통은 훈장이 될 수
없고 무조건 통과의례가
되는 것도 아니다. 어떤
고통은 그저 괴로울
뿐이므로 가능하다면
도망치는 것도 괜찮다.
문제는, 도망치는 것도
습관이 된다는 것이다.

박사, 『치킨에 다리가 하나여도 웃을 수 있다면』
(허밍버드, 2019)

081

15년 정도 한 직장에서 일을 했다. 지역 방송사에서 프로그램에 자막도 넣고 그림도 넣는 컴퓨터그래픽 일을 하다 30대 후반에 출판사로 이직했다. 이직한 직업으로 10년 차에 들고 있다. 10여 년의 경력 동안 네 번 정도 직장을 옮겼고, 현재는 직장을 나와 외주 편집자로 일한다. "원고만 봤으면 원이 없겠네" 했던 말이 씨가 되었는지 정말 원고만 보고 있다. 세상 모든 일이 그렇겠지만 좋은 점도 있고 싫은 점도 있다. 다행히 그 둘의 균형이 비등해서 아직은 즐겁기도 하고 불안하기도 한, 아주 정상인 상태다(사는 게 다 그렇지).

예전에 한 직장에서 오래 있었던 경험 때문에 이직 후 직장을 몇 번 옮기고 나니 평균 2~3년에 한 번씩 자리를 옮기는 것이 생소하게 느껴졌다. 그래서 의심이 들었다. 좀 더 버텨야 할 때 버티지 않고 변명하며 도망가는 것은 아닌가. 잠시 의심했지만, 변명이 아니라 이유였으며, 내가 필요한 곳을 찾아간 거라 생각하기로 했다. 그런데 단 한 번, 아주 짧게 머문 직장을 떠나면서 이유가 아니라 변명이며 도망이었다는 자각이 강하게 들었던 적이 있다. 당시 내 고민을 솔직히 말하고, 문제 해결 방법을 의논하고, 필요하다면 싫은 소리도 해야 했는데, 내가 선택한 방법은 부끄럽지만 회피였다. 내게는 가능하면 싫은 소리는 하기 싫고, 심하게 화나거나 하기 싫은 소리를 해야 할 때는 오히려 입을 다물고 마는 습관이 있다. 해야 할 말을 하지 않고 두루뭉술한 이유 같지 않은 이유를 내밀며 흐지부지 자리를 떠난 것은 예의가 없었다는 생각에 두고두고 후회로 남았다. 다르게 행동했다면 어땠을까 하는 뒤늦은 후회를 하지만 무의미하고 부질없다. 잘못은 되풀이하면 나쁜 습관이 되는 수가 있으니 경계할 일로 잊지 말아야 한다.

"보통 하던 대로요?"
"그래, 보통 늘
하던 대로."

이시바시 다케후미, 『시바타 신의 마지막 수업』
(남해의봄날, 2016)

082

끼익! "미안!" 피치 못할 급정거에 운전을 하던 친구가 오른팔로 내 앞을 가로 받치며 동시에 소리쳤다. "오, 이 멋있음 뭐야?" 감탄을 실어 말했더니 또 무슨 엉뚱한 소리냐며 친구는 깔깔대며 웃었지만 내 감탄은 진심이었다. 그 찰나에 옆 사람의 안전을 먼저 걱정하고, 놀라게 했다며 바로 튀어나온 미안함은 그것이 그 사람의 천성이어서일 것이다. 아니, 습관처럼 훈련된 것이라 해도 이미 본성으로 자리 잡은 것이라야 가능할 만큼 순식간에 일어난 일이었다. 친구의 몸에 밴 마음과 행동을 놀라워하며 저 까칠한 친구가 언제부터 저렇게 멋있는 사람이 되었나 새로웠고 나도 배워야겠다 싶었다. 그날 이후 나도 같은 상황이 되면 옆 사람에게 "미안!" 하는 말이 금방 튀어나오는 것이 다행히(?) 습관이 되었는데, 우습게도 팔을 뻗어 보호하는 건 한 박자씩 늦곤 했다. 벌써 20년이 지난 일인데 아직도 생생하다.

"늘 마시던 걸로", "보통 하던 대로"라는 말에 환상을 가진 적이 있다. 줏대 있어 보이고 일관성 있어 보여서 그런 것 같다. 그런 줏대와 일관성을 가지려면 적어도 "갑자기 왜?"라는 말을 듣지는 말아야 한다. 그런 말을 듣지 않으려면 그것이 내 본성인듯 자리 잡아야 한다. 몸에 밴 마음과 행동이 곧 그 사람을 증명한다.

인간에 대해, 생명에 대해 예의 바른 사람들은 대체로 심성이 따뜻하다. 나이 들어서도 까칠한 성격은 여전하지만 삽시에 그 다정한 버릇이 여전히 튀어나오는 친구를 보니 나는 갑자기 세상 사람이 다 좋아졌다. 당신도 나도, 우리는 모두 따뜻한 마음을 습관으로 가졌으면 좋겠다. 인간다움으로.

습관은 위험하고
허영심 강한 여신이다.
그녀는 자신의 통치를
중단시키는 그 어느 것도
허용하지 않는다. 그녀는
다른 것들을 향한 동경을
말살시킨다. 여행,
다른 일, 새로운 사랑에
대한 동경을.

니나 게오르게, 『종이약국』(박하, 2015)

083

파리 센 강 위의 특이한 수상 서점 '종이약국'의 주인 페르뒤 씨. 사람들 내면의 상처를 진단해 그에 맞는 책을 처방하던 그는 어느 날 충격적인 편지 한 통을 발견한다. 사랑을 위해, 부서진 자신의 영혼을 구하기 위해 그는 책 한 권을 품고 종이약국을 출항시켜 센 강을 달린다.

니나 게오르게의 『종이약국』의 주인공 페르뒤 씨 이야기다. 그는 운명적으로 사랑한 연인이 돌연 자취를 감춰 버린 것에 상처받아 스스로 제 영혼을 봉인해 버린 사람이다. 그렇게 침잠해 습관적으로 살던 페르뒤 씨를 뒤흔든 건 무엇일까?

"위험하고 허영심 강한 여신" 습관을 만나면 우리는 그 여신의 자락에 흠뻑 매몰되어 원하는 삶을 살지 못할 수도 있다. 때로 나의 가장 익숙한 습관과 이별해야만 새로운 곳, 새로운 일, 새로운 사랑을 다시 동경할 수 있다.

나이가 들면 성격은
약해진다. 그건 이제는
퇴화된 과일 몇 개만
달리는 나무와 같다.
하지만 그 열매들의
성격은 전과 같다. (……)
떡갈나무는 언제나
떡갈나무고, 배나무는
언제나 배나무다.

볼테르, 『불온한 철학사전』(민음사, 2015)

084

볼테르는 자신의 창의적이고 재치 있는 개념어 사전이라고 할 저서 『불온한 철학사전』에서 성격Caractère을 "각인, 조각이라는 뜻의 그리스어로부터 유래. 곧 자연이 우리 안에 새겨 놓은 것이다"라고 정의했다. 그는 성격이 우리 안에 새겨진 것이라 성격을 바꾼다는 것은 절대 불가능하다고 본 것 같다. 게다가 "어떤 사람의 성격을 무슨 일이 있어도 바꾸고 싶다면, 피를 묽게 하는 요법을 사용하여 그 사람이 목숨을 잃을 때까지 매일 속을 비워 내라"는 다소 과격한 방법(?)을 제시할 만큼 볼테르에게는 목숨을 잃지 않는 이상 성격은 바꾸려야 바꿀 수 없는 것이었다.

세월이 흐름에 따라 조금 더 약해지고 조금 더 희미해질지언정 우리의 본바탕은 정말 '절대' 달라질 수 없는 것일까? 나는 이 철학자의 타고난 비판 정신과 풍자를 즐기는 자유분방함을 좋아하지만 이 생각은 참 서늘하다. 차라리 엄격한 금욕주의에 매혹되어 장세니슴(초대 그리스도교회의 엄격한 윤리로 돌아갈 것을 촉구하고 하느님의 은혜를 강조한 교리)을 지지했던 파스칼이 인간적이다. "습관은 제2의 천성으로 제1의 천성을 파괴한다."

언젠가부터 여행 중에
다 읽은 책을 그 도시의
도서관에 기증하고
있다. 무거운 짐이 되는
책을 덜어 낼 수 있고,
책을 기증하면서 사서
선생님과 이런저런
이야기도 나눌 수 있으니
일석이조인 셈이다.

임윤희, 『도서관 여행하는 법』(유유, 2019)

예전에 해외로 여행이나 출장을 가는 이가 혹시라도 뭘 사다 줄까 하고 물으면 꼭 그 나라의 책갈피를 부탁했었다. 좀 더 허물없이 친한 친구나 동료라면 엽서를 보내라고 집요하게 당부했다. 순한 사람들이 잊지 않고 책갈피도 챙겨 주고 엽서도 보내 주어서 내 보물상자가 제법 그득하다. 한 번씩 나는 그 엽서들을 꺼내 읽으며 내가 가 보지 못한 어느 나라의 풍경과 그 풍경 속에 머물렀을 친구나 동료를 상상한다. 그래서 나도 여행을 가면 제일 먼저 위치를 봐 두는 곳이 우체국이다.

우체국 말고는 박물관을 찾아서 가 보는 편이고, 출판 일을 하면서부터는 서점을 꼭 몇 군데 미리 알아보고 찾아가는 편이다. 여행을 많이 하진 않지만, 언젠가부터 들를 곳으로 도서관도 염두에 두게 되었다. 사서 조금주 선생님의 『우리가 몰랐던 세상의 도서관들』과 도서관 덕후 임윤희 대표의 『도서관 여행하는 법』을 읽고부터이다. 진화하고 있는 세상의 다양한 도서관, 그리고 책뿐만 아니라 도서관이 품은 문서 같은 귀하고 흥미진진한 이야기가 담긴 『우리가 몰랐던 세상의 도서관들』을 읽으며 가 보고 싶은 도서관들이 생겼고, 『도서관 여행하는 법』에서는 "도서관은 사회 구성원에 대한 믿음, 그리고 책이 이들을 성장시키리라는 기대를 동시에 품고 있는 곳"이라는 문장을 읽으면서 마음이 두근두근했다. '성장'이나 '기대'라는 말이 이렇게 설레는 말이었던가 싶었다. 그래서 "굳이 외국에 놀러 가서까지" 도서관을 둘러보는 것을 앞으로 만들고 싶은 습관 목록에 추가한다.

아이가 무얼 좋아하게
하려면 역설적으로
결핍이 필요하다.

한미화, 『아홉 살 독서 수업』(어크로스, 2019)

086

언젠가부터 조카들을 보러 가면 꼭 두세 번은 듣는 단어가 '칭찬 스티커'다. 두 살씩 터울인 조카가 셋 있는데, 초등학생 첫째, 유치원생 둘째와 막내까지 모두 칭찬 스티커를 모은다. 밥 투정하지 않고 잘 먹으면 한 개, 놀고 난 자리 잘 치우면 한 개, 신발 정리 잘하면 한 개…… 하는 식인데, 말 그대로 칭찬받을 만한 일을 하면 보상으로 스티커를 주고, 그걸 열 개를 채웠을 때와 스무 개를 채웠을 때 차등을 두어 원하는 물건을 살 수 있는 보상이 주어진다.

"자꾸 그러면 오늘 칭찬 스티커 없어!" "좋아, ○○하면 칭찬 스티커 두 개 줄게" 하는 엄마의 말에 개구쟁이 둘째의 행동이 신속해지는 건 그만큼 꼭 가지고 싶은 뭔가가 있다는 거다. 그게 뭐라고 저렇게 간절해지는가 싶지만, 차곡차곡 쌓은 자기 행동이 공룡메카드 알공룡으로, 브롤스타즈 딱지로, 그때그때 원하는 무언가(보상)로 돌아오니 저 꼬맹이들에겐 세상 중요한 일이겠다 싶다.

이런 칭찬 스티커는 동기부여로 행동을 변화시키는 데 효과적이고 성취감도 느끼게 해 주어 아이들에게(전문가들은 만 5세 이후를 적기로 본다고 한다) 바른 습관을 길러 주는 방법으로 유치원이나 가정에서 요긴하게(?) 활용하고 있다고 한다. 아이가 칭찬 스티커에 지나치게 집착하거나 개수 채우는 데만 급급해 정직하지 못한 행동을 하는 상황은 잘 통제해야겠지만, 물질적인 보상에서 점차 이색 체험이나 가족과 함께 즐기는 활동으로 보상을 유도하면 긍정적으로 행동의 변화를 일으키는 원동력이 된다고 한다.

매일, 매분, 매초마다
인생을 바꿀 수 있는
기회가 있어.

애니메이션 『덤보』 중

087

세계적 기업 구글의 '20퍼센트 룰' 제도는 유명하다. 엔지니어들에게 근무 시간 중 최대 20퍼센트를 업무와 상관없는 일에 쓸 수 있게 한 획기적인 제도다. 구글 창립자 래리 페이지와 세르게이 브린은 "직원이 80퍼센트 정도의 에너지를 써서 달성할 수 있는 수준으로 목표를 정한다. 그렇기에 남은 20퍼센트로 다른 일을 탐구할 수 있다"라고 말한다.

처음 이 제도에 대한 이야기를 읽었을 때는 사실 실현 가능한가 하는 의문부터 들었다. 야근이 만연한 우리 노동 환경에서는 꿈같은 이야기라는 생각이 들어서였다. 게다가 80퍼센트의 에너지와 20퍼센트의 에너지를 어떻게 나눈다는 말인가 하며 쓴웃음이 나왔다. 시간을 기계적으로 나눈다 해도 업무 처리가 그렇게 되던가 말이다. 그런데 문득 나의 오랜 습성 하나가 떠올랐다. 늘 어딘가를 기웃대는 습성이다. 매번 어딘가 걸쳐 놓을 곳을 기웃대는 버릇이 있다. 걸쳐 놓을 곳을 기웃댄다는 의미는 미래의 안전장치로 다른 여지를 항상 마련해 놓는다는 의미가 아니다. 지금 있는 자리에 만족하지만, 별개의 다른 일에도 항상 기웃거린다는 의미다. 호기심이라면 호기심이고 충동이라면 충동인데, 지금 당장 그것이 자기계발에 도움이 되거나 미래를 위한 건설적인 준비가 아니어도 재미있어 보이거나 마음이 끌리는 순간 발을 걸쳐 놓고 싶다는 의미다. 20퍼센트 정도의 에너지로는 안 될 것 같은 일에도 마음이 동하니 문제다. 오늘만 해도 부산까지 가서 '예술 제본'을 배우고 싶다는 한 후배의 말에 "나도!" 하고 앞뒤 가리지 않고 마음이 동했다. 나는 지금 마감을 코앞에 두고 허덕이는 처지인데 무턱대고 마음이 꼼지락거렸다. 여하튼 이렇게 여기저기 기웃대는 내 습성이 "최대 20퍼센트의 업무와 상관없는 일"과 맥락을 같이하는 것이라면, 그런 걸 시스템으로 보장한 구글의 창의적인 제도는 몹시 매력적이다.

편한 일에
익숙해지는 것이 가장
나쁜 것이다.

라틴어 명언

인간의 뇌에는 사냥과 채집을 하며 생존했던 원시시대 조상의 행동 방식이 깊이 새겨져 있다. 먹을 수 있는 식물과 먹으면 안 되는 식물, 피해야 할 동물과 사냥할 동물, 날씨와 계절을 구분 하고 파악해 패턴화하는 것은 생존과 직결되는 문제였다. 이 러한 생존을 위한 패턴화 능력은 규칙성을 찾아 불안에 대비하 는 인간의 기본적인 속성으로 남아 일부 학자들은 인간을 '호모 포르마페텐스'Homo Formapetens, 곧 '패턴형 인간'이라 부르기도 한다.

습관화 컨설턴트인 후루카와 다케시는 "우리의 행동과 습 관의 80퍼센트는 패턴화되어 있어서 의식하지 않은 가운데 그 행동과 사고를 반복한다"고 말한다. 어떤 일에서건, 어떻게든 패턴을 만들고 싶어 하고 패턴을 찾아내려는 인간의 오랜 심리 로 익숙함 속에서 안전함을 느끼는 호모 포르마페텐스의 본성 은 때로 인간의 치명적인 약점이 되기도 한다. 비슷한 흐름이라 고 해서 인위적으로 패턴화하는 것은 판단의 오류를 불러올 수 있기 때문이다. 세상이 모두 규칙적인 질서 아래 돌아가는 것은 아니다.

영화에서 지혜로운
노인들이 과묵한 것도
다 그런 이유다.
시나리오 작가들도 알고
있는 것이다. 지혜와
힘은 소란함이 아니라
고요에서 온다는 것을.

코르넬리아 토프, 『침묵이라는 무기』(가나출판사, 2019)

선배보다 후배 대하기가 더 어렵다는 말을 점점 자주 듣게 된다. 나도 나이 차가 열 살 정도 나는 후배 앞에서는 어떻게 대해야 할지 허둥지둥하는 나이가 되었다. 세대 간의 정서 차이도 있어서 같은 일을 두고도 짚는 포인트가 다를 때도 있다. 아예 서로 '딴 세상 인종'으로 제쳐 놓고 지낸다는 사람들도 많다. 그러니 말 한마디, 행동 하나가 조심스럽다.

눈치 없이 커피 사 주랴, 밥 사 주랴, 했다가는 민폐형 꼰대가 되기 십상이라는 말에 "뭐야? 커피 한 잔, 밥 한 끼도 센스 있게 사 줘야 하는 거야?"라고 했다가 바로 지적당했다. "쯧쯧. 사 주긴 뭘 사 줘요. 사 주는 건 같이 먹겠다는 거잖아요. 아예 같이 먹겠다는 생각을 마시라니까요." 후배가 멀었다는 듯 고개를 절레절레한다. '아이쿠, 이러니 난 이미 꼰대 세대인가. 입을 다물자.' 의도치 않게 꼰대질을 하게 될까 봐 말이든 생각이든 자기검열을 할 수밖에 없다. 이렇게 스스로 경계하게 되고 자기검열까지 하게 된다는 하소연을 하면 그나마 "지혜롭다"는 칭찬(?)을 듣는다.

잔소리도 습관이다. 버릇처럼 늘어놓는 자질구레한 참견이나 질책만큼 쓸데없어 보이는 게 없다. 소란하지 않고 고요한 사람으로 나이 들고 싶다는 로망이 있다. 그래서 "지혜와 힘은 소란함이 아니라 고요에서 온다"는 코르넬리아 토프의 말은 늘 기억하고 싶은 말이다. '과묵한 지혜'가 나이 먹는다고 저절로 생기는 것도 아니지만, 애써 생겼어도 나이 먹으면 잘 잊기도 하니까. 그러니 버릇처럼 되뇌고 또 되뇔 일이다.

회의 시작과 동시에
빌 게이츠가 왼손잡이라는
것을 알아챘어요. 그는
노트북이 아닌 노란색
리갈 패드를 들고 와서
필기를 했지요. 예전에
빌 게이츠의 꼼꼼한
필기 습관에 대해
들은 적이 있어요.

마이크로소프트 직원의 글

글감을 찾아 헤매면서 퍼뜩 떠올랐다 흔적도 없이 사라지는 생각을 놓치지 않으려고 최근 약 5~6개월 정도 그 어느 때보다 메모 습관에 집착했다. 그래서 나도 도전했다. 빌 게이츠의 꼼꼼한 필기 습관! 낙서 습관 말고 메모 습관 말이다.

　　노트를 하나 정해 잠자리 옆에 두었고, 책상 위에도 리갈 패드를 하나 정해 펼쳐 놓았으며, 휴대전화 메모 기능도 열심히 사용했다. 컴퓨터 모니터에는 '습관_memo'라고 이름 붙인 파일을 만들어 계속 업데이트하며 이어 나갔다. 아이패드 메모 앱도 수시로 이용했다. 맙소사, 이런 메모 초보자의 실수라니. 메모 습관을 기를 땐 메모 수단을 하나로 통일해야 한다. 분명 어딘가 메모했던 기억이 있는데, 침대 옆에 갔다가 컴퓨터를 살폈다가 노트북을 살폈다가 아이패드를 봤다가 다이어리를 펄럭이며 몇 번이고 이리저리 넘겨 보다 휴대전화를 뒤지고 있다. 메모는 한 것이니 절반의 성공인가, 절반의 실패인가.

나는 그 사람이
내 집에서 떠날 때 미리
써 둔 편지를 직접
그에게 건네주곤
했다. 한 번 읽고 나면
조각조각 찢어서
고속도로에 날려버릴
것이 뻔하지만, 그렇다고
편지 쓰는 일을
그만둘 수는 없었다.

아니 에르노, 『단순한 열정』(문학동네, 2001)

091

아니 에르노의 사랑 이야기는 적나라하다. 그녀의 사랑은 간결하고 정확한 문장으로 단호하게 서술된다. 도덕적 잣대 같은 가치의 문제는 끼어들 새도 없이 날것 그대로의 진짜 감정에 절로 매혹된다. 그녀는 '그 사람'이 만남 후 집을 떠날 때마다 편지를 써서 건넸다고 하는데 정말이지 궁금하다. 이런 글을 쓰는 사람은 애인에게 어떤 내용의 편지를 건넬까, 하는 호기심이다. 왠지 나는 그것이 한 장짜리 편지이고 딱 절반으로 접어 건넬 거라고 상상하게 되는데, 그 편지를 읽고 나면 찢어서 도로에 날려 버릴 남자도, 그것을 예상하면서도 편지 쓰는 걸 그만둘 수 없는 여자도 각자 너무 슬픈 습관을 가지게 된 것은 아닌가 싶다. 처음엔 자연스레 여자에게 감정 이입이 되어 그녀를 안타까이 여겼는데, 조금 더 생각하니 애인의 편지를 되풀이해 찢어서 버려야 하는 사람도 그때마다 습관처럼 곱씹어야 했을 씁쓸함이 만만치 않았겠다 싶다.

슬픈 습관은 아니고, 생각지도 않게 당혹스러운 습관이 된 것이 있다. 잠들기 직전이나 불현듯이 깨어 비몽사몽간에 떠오른 생각을 휘발시키지 않겠다고 결심한 메모 습관이다. 어둠 속에서 급히 휘갈기듯 쓴 메모를 며칠이 지나 다시 본 적이 있다. '뭘 휘갈긴 거야' 하고 보았다가 퍽 당혹스러웠다. 감정의 밑바닥이 훤히 드러나는 너무 적나라한 것은 내 것이라도 거북하다. 그토록 내가 궁금하게 여겼던 그녀의 편지는 한 번 읽히고 찢겨 고속도로에 뿌려진 것이 다행이라는 생각이 문득 들었다. 열정에 휩싸여 전한 마음이 어딘가에 고스란히 남아 있다면 그것은 그것대로 거북할 것 같다.

어머니는 여름철에도
방문을 닫고 문고리를
단단히 채우고 잠을
잤던 것이다. 도둑이
가져갈 물건이라고는
손재봉틀이 고작이었으나
내가 더 커서 깨닫게 된
점이지만, 과수댁으로서의
습관이었다.

김원일, 『마당 깊은 집』(문학과지성사, 1990)

092

1인 가구로 여자 혼자 산다는 것에 대해 별생각이 없었는데 단한 번 당황한 적이 있다. 지방 소도시인 진주에서 3년이 조금 안 되는 기간을 살았는데, 처음 살 곳을 구하러 갔을 때의 일이다. 진주는 희한하게 도시인 듯 시골인 듯 두 가지 정취를 모두 가진 곳인데, 한적함을 한껏 누리겠다는 꿈에 부풀어 있던 내게 안성맞춤인 방을 찾았다. 오래된 동네의 조금 외진 곳에 자리한 신축 건물이었는데, 바로 옆에 산책길이 나 있는 동네 야산이 있었고, 사과밭이니 텃밭이니 하는 정겨운 풍경에 당장 계약금을 걸었다. 결론적으로 계약금을 손해 보고 다시 살 곳을 구해야 했다. 옮길 직장의 대표님께서 들으시고 "여긴 서울과 다릅니다. 익명성이 보장이 안 돼요. 그렇게 외진 동네 단독 건물이면 어느 집에 누가 혼자 살고 그런 게 일주일이면 파악돼요. 안 돼요, 안 돼. 당장 해약하소" 하시며 바로 해약을 권하셨기 때문이다. '익명성'이 거론되는 순간 '여자 혼자 산다'라는 특별하지 않은 문장에 저절로 따라붙는 두려움이 생소하면서도 금방 이해됐다.

오래된 소설 『마당 깊은 집』은 6·25전쟁 직후 대구 장관동이 배경이다. 위채인 주인댁과 셋방살이하는 아래채의 다섯 세대가 고군분투하며 사는 모습이 펼쳐진다. 화자인 길남이의 '어머니'는 여름철에도 방문을 닫고 문고리를 단단히 채우고 잔다. 길남이는 그걸 "과수댁으로서의 습관"이었다고 서술하는데, 남편이 없어(성인 남자가 없어) 취약하다는 불리함과 네 아이의 안전을 혼자 책임진다는 위기감이 만든 습관이 아니었을까 싶다. 참 가여운 습관이었구나, 이제야 그런 생각이 든다.

감각 하나하나에 나는
다른 사람이 되고,
규정할 수 없는 인상
하나하나에 고통스럽게
새로 태어난다. 나는
내 것이 아닌 인상들에
의지해 살아간다.
나는 포기를 일삼는
난봉꾼이고, 내가 나인
방식으로 타인이 된다.

페르난두 페소아, 『불안의 책』(문학동네, 2019)

093

포르투갈의 국민작가로 추앙받는 페르난두 페소아가 평생 유지했던 집필 습관으로 알려진 것은 수많은 이명異名을 사용하여 가상 인물을 만든 것이다. 포르투갈어, 영어, 프랑스어 등 다양한 언어와 다양한 문체를 구사한 엄청난 양의 글을 남기며 그가 창조한 이명과 문학적 인물은 70여 개를 웃돈다. 그중 『불안의 책』에 등장하는 '베르나르두 소아르스'는 페소아 자신과 가장 흡사한 인격체로 여겨진다. 소아르스는 리스본의 작은 회계사 무실에서 일하는 '한심하고 이름 없는 사무원'으로, 시간이 날 때마다 리스본 시내와 테주 강변을 거닐며 사색에 잠긴다.

『불안의 책』 전반을 흐르는 정서 '불안'은 건조하고 아득하며 너무 깊어 고독한데 책장을 덮으며 내 속에 온기가 그득 차 있는 건 도대체 왜인지 모르겠다. 이 "깊고 고요한 우울"을 가진 작가에게는 왜 그렇게 많은 이름(인격)이 필요했을까? 나는 그 해답을 "내가 나인 방식으로 타인이 된다"라는 책의 한 구절에서 짐작했다. 그가 말하는 '내가 나인 방식'도 선택이고 '그 방식들로 한 사람(타인)이 되는 것'도 선택인 바, 그 모든 선택의 결정으로 하나, 하나의 이름이 선택되지 않았을까 하는 생각에 이르렀다. "내 속엔 내가 너무도 많"지만 결국은 그 모두가 '나'이고 그 제각각으로 다른 사람이 되는 일은 어쩌면 가능할 것도 같다.

습관을 생각하며 페르난두 페소아를 떠올리는 것도 이 "내가 나인 방식"이라는 인상적인 표현 때문이다. 내 삶의 습관이 곧 내가 선택한 "내가 나인 방식"이지 않을까 싶어서. 그렇게 생각하면 별 소소한 습관이 모두 '나의 방식'으로 정의되는 듯해서 조금 부담스럽다.

습관은 나무껍질에
새겨 놓은 문자 같아서
그 나무가 자라남에 따라
확대된다.

새뮤얼 스마일스

094

2006년 오스트레일리아의 심리학자 메건 오튼과 켄 쳉은 '의지력이 훈련으로 강화될 가능성이 있는가'에 대한 연구를 했다. 처음 그들이 한 연구는 18세에서 50세까지의 성인 24명에게 두 달 동안 체력 단련 프로그램을 실시한 것이었다. 두 달 동안 꾸준히 운동 강도와 횟수를 늘렸고, 일주일 단위로 피실험자들에게 운동 횟수를 더 늘리라고 요구하며 의지력을 높이도록 했다. 두 달 후 오튼과 쳉은 체육관이 아닌 다른 곳에서도 피실험자들의 의지력이 향상되었는지 체크했다. 그들은 건강이 좋아진 것은 물론, 흡연량이나 음주량, 카페인과 정크푸드 섭취량은 줄고 집안일을 돕는 시간은 늘었으며, 스트레스도 훨씬 덜 받고 있었다. 이런 결과가 순전히 운동의 효과일 수도 있어 오튼과 쳉은 몇 가지 다른 실험을 더 추진했다. 그중 하나는 45명의 학생을 대상으로 공부 습관에 초점을 맞춘 학업 성취 프로그램을 실시한 것이었다. 실험 결과, 이들의 학습 능력이 향상된 것은 물론이고, 기존의 실험에서와 마찬가지로 흡연이나 음주도 줄고 TV 시청도 줄었다. 오튼과 쳉의 실험으로 "의지력 근육이 강화되면 좋은 습관이 삶의 다른 부분에까지 스며든다는 게 다시 증명된 셈"이라고 습관 전문가 찰스 두히그는 말한다.

한 가지를 위해 애쓴 마음은 단단해지고 성장한다. 단단해지고 성장한 마음은 그 긍정적 영향으로 열 가지를 변화시킬 원동력이 된다.

시간이 촉박하면 일의
효율이 올라간다. 배우자의
부모가 연락해서 15분
뒤에 잠깐 들르겠다고 하면
빛의 속도로 집을 치우게
되는 것처럼 말이다.

마이크 비킹, 『리케』(흐름출판, 2019)

095

영국의 행정학자이자 사학자인 시릴 파킨슨이 주장한 '파킨슨의 법칙'Parkinson's Law은 공무원의 수가 업무량 증가와 관계없이 계속 증가한다는 것을 통계학적으로 증명한 것이다. 파킨슨은 작업 시간은 사용 가능한 시간을 모두 쓸 때까지 계속 연장되며, 작업 예상 시간을 길게 잡는 건 어리석은 짓이고, 지금 생각하는 시간의 딱 절반이 진짜 필요한 시간이라고 말한다. 어차피 이러나저러나 시간은 항상 부족할 테니 말이다.

"삼 일만 더 달라고 하세요."

마감은 닥쳤는데 진도가 안 나가서 손톱을 물어뜯고 있다는 하소연에 지인이 한 말이다. 사실 나는 이미 기한을 한 번 미루었다. 그러니 작업 시간을 연장해도 부족한 시간은 계속 부족하다는 걸 요 며칠 생생한 경험으로 알고 있다. 코펜하겐 행복연구소 대표인 마이크 비킹은 자신의 저서 『리케』에서 시릴 파킨슨의 "일은 주어진 시간이 소진될 때까지 늘어지게 마련이다"라는 말을 인용하며, 언제 시작하고 언제 끝내야 할지 시간을 미리 정해 놓을 것을 권한다. "시간이 촉박하면 일의 효율이 올라간다"는 것이다.

오늘 부족한 나의 시간은 삼 일이 지나도 부족할 것이다. 사실 시간을 대하는 태도도 습관이다. 간혹 더 나은 결과를 위해 피치 못하게 시간을 더 쓰는 경우도 있지만 상대에게나 나 자신에게나 미루기가 습관이 되는 것만큼 별로인 것도 없다. 주어진 시간이 다할 때까지 시동만 걸다 꼭 닥쳐서야 미친 듯 질주하면 안 된다고, 다 알면서도 어리석을 때가 있다.

일회용 플라스틱 반대는
서로의 삶에 말을 걸고
시간을 들이고 관계를
만들어 가는 운동이다.
그저 쓰레기를 줄이는
데서 그치지 않고 삶의
속도를 늦춰 보통의
일상과 다른 사람의
안녕과 지구의 건강을
챙기는 여정이기도 하다.

고금숙, 『우린 일회용이 아니니까』(슬로비, 2019)

불과 20년 뒤인 2040년 이후엔 여름철 북극 빙하가 사라질 것이라는 기후 전망이나 지난해 세계 온실가스 배출량이 사상 최고치를 경신했다는 보고서 등 최근 지구 환경 오염에 대한 기사가 심상찮다. 특히 전 세계가 플라스틱으로 몸살을 앓는 가운데 우리나라가 연간 플라스틱 소비량 세계 1위 국가라는 뉴스는 더더욱 암담하다.

『우린 일회용이 아니니까』를 쓴 고금숙 작가는 이 책을 통해 플라스틱이 왜 문제인지 살펴보고, 그런 플라스틱을 대하는 쓰레기 덕후들의 자세와 플라스틱 프리와 제로 웨이스트(일상생활에서 쓰레기 배출을 최소화하자는 원칙)를 향한 의식주 전반에 대한 구체적인 실천법 등을 풀어놓는다.

이 책을 읽다 보면 나의 생활 양식에 대한 재인식과 앞으로의 생활 습관에 관한 고민을 하게 되는데, 이와 관련해 생각해 볼 만한 인상적인 인터뷰를 읽었다. 덴마크 전문 미디어 『네이키드 덴마크』Naked Denmark의 '코펜하겐 도시 재생' 연재 기사 중 겔 아키텍트(코펜하겐에 본사를 둔 도시 공학 연구·디자인 컨설팅 회사)의 파트너 디렉터인 크리스티안 빌라센의 말이다. "코펜하겐 인구 45퍼센트가 자전거로 통근한다. 이들한테 왜 자전거를 타느냐고 물으면 환경에 좋다거나 저렴하다거나 운동이 되기 때문이라고 답하지 않는다. 63퍼센트는 코펜하겐에서 자전거로 통근하는 게 '쉽고 빠르고 편리하기 때문'이라고 답한다. 그러니까 살기 좋은, 지속 가능한 도시를 만들고 싶다면 그런 선택지를 가장 손쉬운 생활 양식으로 만들어야 한다." 물론, 도시마다 인구수나 규모 등 다양한 차이가 있겠지만, 이제는 지구의 미래를 위해 우리 삶의 방식을 바꾸어야 할 지경에 이르렀고, 그 변화를 위한 가장 효율적인 방법은 그런 방식의 삶이 "가장 쉽고 빠르고 편리한 선택지"가 되도록 하는 것이다.

그 사람의 진실은
어떤 책의 장르가 아니라
그 사람이 사용하는
말투나 습관적인
몸짓에서 확연히
드러나는 법이니까.

림태주, 『관계의 물리학』(웅진지식하우스, 2018)

097

"저 봐라, 또 끝까지 대답 안 하지. 싫다 이거네?"

싫거나 마음에 들지 않는 것이 있으면 똑 부러지게 거절하거나 반대하는 선명한 사람이고 싶다. 안타깝지만, 나는 그런 사람이 아니다. 그런데도 호불호를 들키곤 하는 것은 칼같이 거절하거나 반대하지는 못해도 싫거나 반대하면 슬그머니 대답을 하지 않는 버릇 때문이다. 어느 정도 한 시절을 같이 보냈거나 친한 사이가 되면 알아채는 사람들도 있다. 뭐가 문제냐? 뭐가 걸리는 건데? 되묻는 사람들은 아주 친한 사람이거나 궁극의 눈치를 가진 사람이다. 나 자신은 이렇게 흐리멍덩함에도 불구하고 선호하는 건 칼 같은 의사 표시를 하는 부류다. 그런 부류의 사람과는 대체로 친해지고 빨리 편해진다. '저 사람은 그렇다고 했으니 그런 거야. 아니라면 아니라고 하겠지. 혼자 속으로 다른 생각하는 사람은 아님!' 하는 판단이 되는 산뜻한 사람이 좋다. 간혹 그 솔직함으로 가슴에 대못을 박더라도 '숨은 생각 찾기' 같은 건 하지 않아도 되는 사람이 최고다. 그중 가장 최고는 그 명징함을 품위 있는 말투로 전할 때다. 막말이나 폭언이 뉴스를 통해 가감 없이 전달되는 것이 극도로 싫다. 그것이 일상의 장면으로 전달되어 그런 험한 말과 표현에 무뎌질까 너무 싫고 두렵다. 일상에서 "사용하는 말투나 습관적인 몸짓"이 곧 그 사람이다. 언젠가부터 품위 있고 고상한 말투와 몸짓을 가진 사람을 만나기가 그렇게 어렵다.

김훈의 책을 읽는 가장
좋은 장소는 어디일까?
내 경험에 의하면
저녁 시간에 좀 한산한
시내버스다.

이현우, 『책을 읽을 자유』(현암사, 2010)

098

버스 좌석에 앉아 별생각 없이 책을 펼쳤다가 내용에 혹 빨려 들어갔다. 햇빛이 적당한 가을 오후였다. 문득 둘러본 주변 풍경이 흡족했고, 그래서 책이 더 흐뭇해졌다. 한때 버스에서 책 읽기를 즐겼는데 언젠가부터 버스에서 책을 읽으면 속이 울렁거렸다. 울렁거리는 느낌이 꽤 고역이라 몇 년 동안 시도할 생각조차 하지 못했는데, 그날은 나도 모르게 책을 펼쳤다가 완벽한 평온함을 만끽하는 행운을 누렸다. 아쉽게도 그 행운은 다시 사라졌다.

로쟈 이현우는 『책을 읽을 자유』에 "김훈의 책을 읽는 가장 좋은 장소는 어디일까? 내 경험에 의하면 저녁 시간에 좀 한산한 시내버스다"라는 인상적인 생각을 남겼다. 책 읽기 좋은 장소가 사람에 따라 다를 수 있을 거라는 생각에는 익숙한데 책에 따라 다를 수도 있다는 말은 새로웠다.

엉뚱하게, 누구든 자신의 취향을 저절로 아는 것은 아니라는 생각이 든다. 굳이 더듬어 보니 카페나 지하철에서 읽으려고 챙기는 책은 주로 작은 판형의 가벼운 에세이이고, 침대에서는 시집이나 소설을 찾는다. 스탠드를 켠 책상에 앉아서는 김연수, 김훈의 책을 펼치고, 인문교양서는 읽어야 할 때 언제 어디에서든 읽는다. 분야에 관계없이 의외로 좋아하는 자세는 바닥에 책을 펼쳐 놓고 양반다리하고 앉아 등을 구부리고 고개를 깊이 숙인 자세다. 도서관에서 책을 잔뜩 빌려 와 옆에 쌓아 두고 살피면서 생긴 버릇이다.

이런 취향이나 습관은 미처 생각하진 않았는데 더듬어 보며 알아 가는 재미가 있고, '저 책은 어디에서 읽어야겠다' 하는 생각도 할 수 있어 즐거운 구석이 있다.

자기 삶의 미션이란 것,
'그걸 포기하면
내 인생은 끝이다.'
그런 게 누구에게나
있다고 생각합니다.

정혜윤, 『사생활의 천재들』(봄아필, 2013)

099

내 삶의 행동 양식을 위한 습관 만들기도 곧 우리 삶의 작은 미션이 아닐까? "그걸 포기하면 내 인생은 끝"이라며 비장하진 않더라도, 결심할 때는 매번 진심으로 기대한다. 그런 성실하고 작은 습관들이 인생을 바꾸었다는 증언이 이어지니 더 그렇다. 누구에게나 가능한 것 같지만 누구에게나 불가능한 50 대 50의 확률이라 성공의 환호도 실패의 한탄도 여기저기 가득하다.

이 인생에서 내가
제일 먼저 배웠어야
하는 것은 '나'의
올바른 사용법이었지만,
지금까지 그걸 가르쳐
주는 사람은 없었다.
그걸 모르니 인생은
예측불허, 좌충우돌의
연속이었다.

김연수, 『시절일기』(레제, 2019)

습관이란 것이 무의식적으로 하는 행동이다 보니 무엇이 있나 막상 손꼽으려 하면 잘 꼽히지 않는다. 우선 당혹스러운 것이 내가 나를 잘 모른다는 것이다. 내가 어땠지? 내가 어쩌더라? 작정하고 생각해 봐도 깜깜하다. 그렇게 생각을 거듭해 겨우 건져 올린 것도 하찮은 것밖에 없다.

  '습관'을 생각하며 그 어느 때보다 '나'라는 사람을 가장 많이 되돌아본 것 같다. 김연수 작가는 『시절일기』에서 "인생에서 내가 제일 먼저 배웠어야 하는 것은 '나'의 올바른 사용법이었지만, 지금까지 그걸 가르쳐 주는 사람은 없었다"며 "쉰 살이 넘어서까지 자신을 제대로 사용하는 법을 모르는 사람들이 수두룩"하다고 썼다. '나의 올바른 사용법'은커녕 그저 '내 습관이 뭐지?' 하는 간단한 질문 하나에도 떠오르는 것이 없어 당황할 만큼 나는 자신에 무지한데 하물며 그 사용법이라니, 나 또한 그 수두룩한 사람들 중 한 명이다.

  이런 무지에서 벗어나는 방법으로 그가 말하는 것은 "배움을 멈추지 않는" 것이다. 그 배움은 '인정'에서 시작한다. 잘못 사용하고 있다고 인정하면 배울 것이 보일 테다. 우리 뇌는 익숙한 것에 안심하고 편해하므로 언제든 있던 곳으로 돌아가 안주할 준비가 되어 있다. 그런 익숙함이 내가 나를 몰라서, 오용해서 편해진 것이라면 몇 번이라도 떨쳐 이별할 일이다. 부디 이별할 것이 너무 많지는 않길. 모든 이별에는 대개 고통이 함께한다.

참고한 책과 자료

고금숙, 『우린 일회용이 아니니까』(슬로비, 2019)

그레첸 루빈, 『나는 오늘부터 달라지기로 결심했다』(유혜인 옮김,
　　비즈니스북스, 2016)

김겨울, 『유튜브로 책 권하는 법』(유유, 2019)

김연수, 『시절일기』(레제, 2019)

라이너 쿤체, 『나와 마주하는 시간』(전영애·박세인 옮김,
　　봄날의책, 2019)

로버트 그린, 『인간 본성의 법칙』(이지연 옮김, 위즈덤하우스, 2019)

릭 핸슨, 『행복 뇌 접속』(김미옥 옮김, 담앤북스, 2015)

마이크 비킹, 『리케』(이은선 옮김, 흐름출판, 2019)

박총, 『읽기의 말들』(유유, 2017)

오히라 노부타카·오히라 아사코, 『작은 습관, 루틴』
　　(장나무별·장영준 옮김, 행복에너지, 2019)

유성용, 『다방기행문』(책읽는수요일, 2011)

이현우, 『책을 읽을 자유』(현암사, 2010)

임경선, 『곁에 남아 있는 사람』(위즈덤하우스, 2018)

정재홍, 『나쁜 습관은 없다』(판미동, 2019)

정혜윤, 『사생활의 천재들』(봄아필, 2013)

조금주, 『우리가 몰랐던 세상의 도서관들』(나무연필, 2017)

찰스 두히그, 『습관의 힘』(강주헌 옮김, 갤리온, 2012)

찰스 디킨스, 『오래된 골동품 상점』(김미란 옮김, B612, 2015)

프레드 사사키·돈 셰어, 『누가 시를 읽는가』(신해경 옮김,
　　봄날의책, 2019)

노래 「습관」 『Lovescream』 (에픽하이, 2008)

애니메이션 영화 『덤보』 (벤 샤프스틴 감독, 1941)

유튜브 채널 'MKTV 김미경TV'

TV프로그램 「당신의 인생을 바꾸는 작은 습관」 『SBS 스페셜』 (SBS, 2019)

TV프로그램 「습관의 비밀 1 - 성공습관」 『부모광장』 44회 (EBS, 2015)

습관의 말들
: 단단한 일상을 만드는 소소한 반복을 위하여

2020년 2월 24일   초판 1쇄 발행
2024년 5월 4일   초판 10쇄 발행

지은이
김은경

펴낸이	**펴낸곳**	**등록**
조성웅	도서출판 유유	제406-2010-000032호 (2010년 4월 2일)

주소
경기도 파주시 돌곶이길 180-38, 2층 (우편번호 10881)

전화	**팩스**	**홈페이지**	**전자우편**
031-946-6869	0303-3444-4645	uupress.co.kr	uupress@gmail.com

	페이스북	**트위터**	**인스타그램**
	facebook.com	twitter.com	instagram.com
	/uupress	/uu_press	/uupress

편집	**디자인**	**마케팅**
사공영, 김진희	이기준	전민영

제작	**인쇄**	**제책**	**물류**
제이오	(주)민언프린텍	다온바인텍	책과일터

ISBN 979-11-89683-32-0 03810